CE QU'IL FAUT SAVOIR POUR

# RÉNOVER
## UNE
# MAISON

Cet ouvrage a été rédigé pour le Groupe de Ressources techniques en habitation de Montréal Inc., grâce à une subvention du ministère de la Santé nationale et du Bien-Être social du Canada et la Société d'habitation du Québec.

Auteurs :
Jules Auger
Liette Charland
Johanne Lavallée
Robert Paradis

Auteur coordonnateur :
Jules Auger, architecte.

La première édition de cet ouvrage a paru sous le titre «Guide de rénovation».

Maquette de la couverture:
France Lafond

Photo de la couverture:
Mia et Klaus

Dépôt légal:
2e trimestre 1982

ISBN 2-89111 009-9

JOHANNE LAVALLÉE
LIETTE CHARLAND
ROBERT PARADIS
JULES AUGER

CE QU'IL FAUT SAVOIR POUR

# RÉNOVER UNE MAISON

LIBRE
EXPRESSION

244, rue St-Jacques
Montréal, Québec

# Table des matières

## LA FONDATION

## LA CHARPENTE

## SAILLIES

## L'ENVELOPPE

# Introduction

À vous qui aimez votre maison, votre logement et qui désirez leur conserver les qualités qu'ils possèdent déjà, nous croyons que ce livre sera un instrument utile.

La maison est un bien qui, au moment où il dépasse le simple besoin d'abriter, devient vivant, dynamique et symbolise un rapport concret que l'on établit avec son milieu.

En ce sens, la maison est vivante; elle se bâtit, se transforme selon ses occupants, selon les soins qu'on lui apporte et elle vieillit en fonction d'une nature rude et changeante qui s'impose de toute pièce.

Pour certains, ce livre sera utile s'ils veulent mieux comprendre les principes qui régissent cet ensemble de matériaux. Pour d'autres, il sera un instrument servant à évaluer l'importance de certains problèmes.

D'autres encore y verront un instrument leur permettant de suivre les travaux qu'ils feront exécuter sur leur maison.

Enfin, il y aura ceux qui l'utiliseront comme document de référence pour exécuter eux-mêmes les travaux qu'ils jugeront nécessaires dans le cadre d'une reprise en main de leur habitat.

En ce sens, le contenu est orienté vers la compréhension de la vie d'une maison, du rôle de chacune de ses parties et de l'une par rapport à l'autre.

9

Dans les solutions que nous vous communiquons, nous insistons sur la compréhension des phénomènes qui entourent un problème afin qu'il vous soit possible de les évaluer.

Avec le nombre grandissant de personnes motivées à l'achat ou à la rénovation, sous forme individuelle ou collective, d'une maison ou d'un logement, nous avons cru intéressant de partager notre expérience dans le domaine de la rénovation à Montréal.

Pour que cette expérience puisse être transmise adéquatement nous avons jugé utile de diviser ce livre en trois parties distinctes mais complémentaires.

Dans un premier temps, nous exposons les principes de chacune des parties de la maison et les termes utilisés pour les décrire. Vous comprendrez mieux alors ce qui se passe chez vous, dans votre maison, dans votre logement.

La deuxième partie traite d'un certain nombre de problèmes, les plus courants que connaisse une maison qui vieillit normalement ou prématurément, et expose quelques solutions.

La troisième et dernière partie énumère un ensemble de questions permettant d'évaluer l'état d'une maison et, partant, de faciliter votre choix, soit de la rénover, connaissant les travaux que cela implique, soit d'en choisir une autre.

Nous souhaitons que ce livre soit un réel instrument pour ceux qui, aujourd'hui plus que jamais, cherchent les moyens de reprendre en main un domaine laissé trop souvent au soin des spécialistes.

# PREMIERE
# PARTIE

# Principes de base

Dans cette première partie nous développons les divers éléments d'une maison, de manière à faire comprendre le rôle que joue chacun d'eux, et les principes qu'on doit respecter en les assemblant.

C'est une démarche préalable à la compréhension d'un problème quelconque qui affecte votre maison, en vue de lui apporter une solution qui couvre l'ensemble des principes en cause.

Nous espérons que, grâce aux dessins, ces principes vous apparaîtront plus évidents et vous rendront plus facile la compréhension de ce livre.

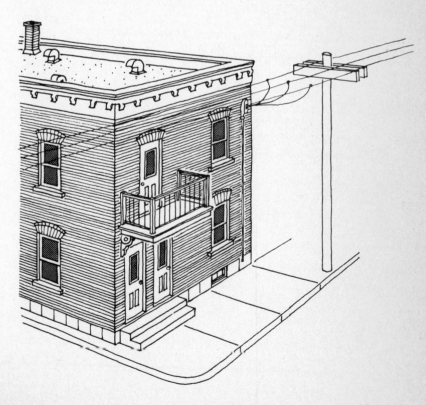

# STRUCTURE

## Principes généraux

La structure, c'est le squelette d'une maison. Elle sert à ramener directement au sol les différentes charges appliquées à la maison (neige, vent, meubles, occupants) ainsi que le poids des matériaux de la maison elle-même. Ses composantes (fondation, charpente des planchers, des murs et toiture) sont assemblées de différentes façons selon les matériaux utilisés et la méthode de construction adoptée.

Le système de construction adopté à Montréal utilise des principes qui lui sont propres, en particulier ceux qui sont appliqués dans la charpente des murs extérieurs en madriers.

Les caractéristiques, les principes et le rôle de chacune des parties de la structure sont présentés d'une façon détaillée dans les pages qui suivent.

# Fondation

## Fonctions principales

La fondation est la base de la maison sur laquelle repose la charpente. Une fondation de mauvaise qualité affectera la maison dans son ensemble. Pour assurer une bonne stabilité à votre maison, la fondation devra remplir les fonctions suivantes:

1. Distribuer le poids de la maison sur le sol.

2. Résister aux poussées latérales de la terre qui l'entoure.

3. Résister à l'infiltration de l'eau contenue dans le sol environnant.

4. Déposer la charpente en bois d'un bâtiment sur une surface sèche.

5. Éviter les mouvements de la structure causés par le gel du sol.

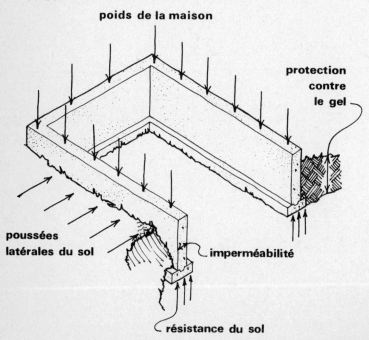

# Mur en pierre

En général, avant le début du siècle, les maisons de Montréal étaient construites sur des murs de fondation en pierre.

Les pierres empilées étaient simplement liées entre elles par un mortier de chaux et formaient un mur épais, variant de un pied et demi (457 mm) à deux pieds et demi (762 mm).

La grande épaisseur obtenue permettait de déposer le mur directement sur le sol et d'obtenir une surface d'appui suffisamment grande pour bien répartir les charges de la maison sur le sol.

De plus, la forte épaisseur des murs pouvait facilement résister aux poussées latérales du sol qui entourait le bâtiment.

# Mur en béton

C'est avec le début du siècle et plus particulièrement à partir des années 20 que la fondation des maisons est construite avec du béton coulé sur place.

Cette technique permet de réduire l'épaisseur des murs, d'accélérer la construction et d'obtenir une résistance égale sinon plus grande selon les cas.

L'épaisseur étant moindre que les murs en pierre, c'est la semelle sous le mur qui permettra d'assurer une aussi grande surface d'appui sur le sol.

Le lien entre le mur et la semelle est assuré par une clef qui évite le glissement de l'un sur l'autre par les poussées latérales du sol.

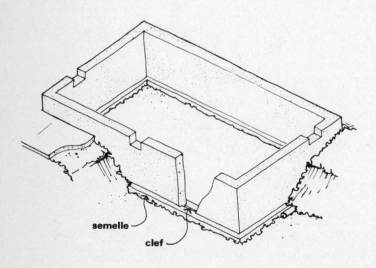

semelle

clef

# Drain français

Afin de prévenir l'action de l'eau (infiltration et gel) sur la fondation, on installe un drain français le long de la semelle.

Très peu de vieilles maisons à Montréal en ont été pourvues au moment de leur construction.

De nos jours, par contre, c'est une technique de drainage généralisée. Elle sert à canaliser l'eau du sol loin du mur de fondation. Le drain est installé du côté extérieur de la semelle de fondation, sur un lit de gravier d'environ 6 pouces (152 mm) pour lui assurer une légère pente. Les joints sont revêtus de papier goudronné #15. Ensuite, le drain est recouvert d'environ 8 à 12 pouces (203 à 305 mm) de pierre concassée et la tranchée remplie de terre d'excavation.

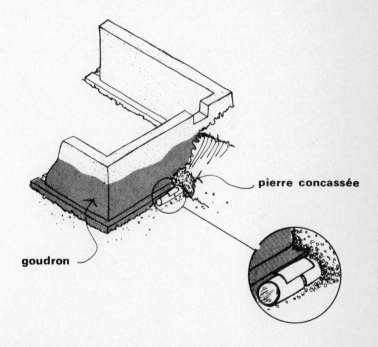

pierre concassée

goudron

*Le drain français est branché normalement à un puisard qui rejette ses eaux à l'égout principal.*

# Charpente des planchers

## Fonctions principales

La charpente du plancher du rez-de-chaussée comprend les colonnes, la poutre, les solives et le faux-plancher. Elle était érigée après le mur de fondation ou simultanément dans certains cas. Elle sert à répartir les charges des étages supérieurs, par l'entremise des cloisons porteuses. C'est ce qu'on peut appeler la partie horizontale de la charpente.

### Fonctions principales de ses composantes

1. Les *solives* et le *faux-plancher* répartissent les charges de plancher sur les murs de fondation et la poutre centrale.

2. La *poutre* transmet les charges venant des solives sur les murs de fondation et les colonnes. Elle permet de réduire la portée* des solives en divisant la distance qu'elles doivent couvrir. Plus les solives sont petites et espacées, moins leur portée sera grande.

3. Les *colonnes* servent d'appui à la poutre centrale et permettent de concentrer les charges sur le sol.

Il y avait, généralement, deux façons de disposer la charpente du rez-de-chaussée selon les espaces qu'on voulait obtenir aux étages supérieurs. Ces dispositions sont représentées dans les deux pages suivantes.

### Assemblage

Dans les trois autres pages on retrouve les détails d'assemblage les plus fréquemment utilisés. Comme vous le verrez, différentes combinaisons d'assemblage sont possibles selon les conditions qui prévalent lors de la construction.

---

* Distance entre les deux appuis d'une solive.

# Vue d'ensemble

## Caractéristiques

1. Poutre centrale encastrée dans le mur de fondation et placée dans le sens de la longueur du bâtiment.

2. Solives appuyées sur les murs de fondation et sur la poutre centrale.

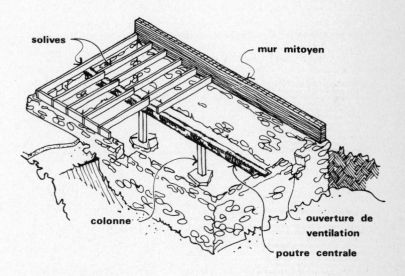

Cette disposition de la charpente de plancher est la plus commune pour les maisons construites entre deux bâtiments (mitoyens) et dans le sens de la longueur.

Elle permettait de diviser les espaces à partir d'un corridor central dont un des murs est porteur et de laisser des murs ouverts entre deux pièces (pièces doubles) pour l'éclairage du centre du logement.

# Vue d'ensemble (variante)

## Caractéristiques

1. Poutres encastrées dans les murs de fondation et placées dans le sens de la largeur du bâtiment.

2. Solives assises sur les murs de fondation et sur les poutres. Elles sont dans le sens de la longueur du bâtiment.

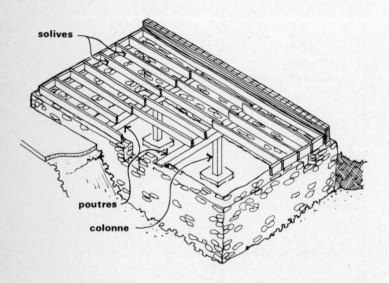

Cette charpente de plancher était souvent utilisée dans le cas où il y avait un local commercial au rez-de-chaussée, car elle permettait de libérer davantage l'espace.

On disposait deux colonnes au centre du local, au-dessus des colonnes du sous-sol. La structure pouvait être en bois ou en acier.

# Détails d'assemblage 1

## Caractéristiques

1. Poutre encastrée.
2. Solives assises sur le mur de fondation.
2. Solives appuyées (assises) directement sur la poutre.

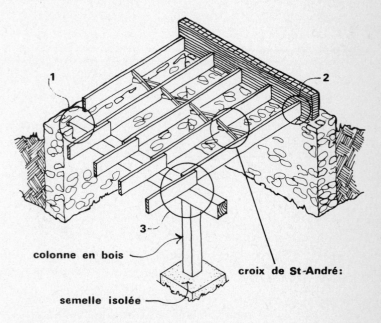

colonne en bois

semelle isolée

croix de St-André:

*Croix de St-André: elles servent à stabiliser la structure et à répartir les charges d'une solive à l'autre.*

Dans ce mode d'assemblage, on construisait d'abord un mur de fondation en laissant un espace pour encastrer les extrémités de la poutre et on déposait la poutre et les solives sur le mur.

# Détails d'assemblage 2

## Caractéristiques

1. Poutres et solives encastrées dans le mur de fondation.
2. Solives appuyées sur une pièce de bois fixée à la poutre.

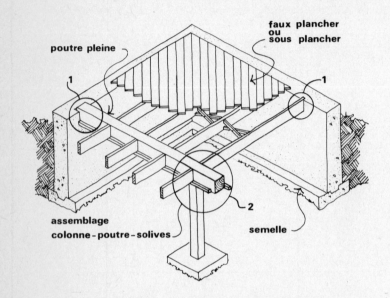

Ce mode d'assemblage provient d'une ancienne technique de coulage des murs de fondation. Afin d'obtenir une surface de travail, la charpente du plancher était construite en même temps que le coffrage des murs et y était incorporée. Ensuite, le béton était coulé dans le coffrage des murs.

# Détails d'assemblage 3

## Caractéristiques

1. Poutres et solives assises sur le mur de fondation.
2. Colonne ajustable en acier.
3. Solives appuyées sur une pièce de bois fixée à la poutre.

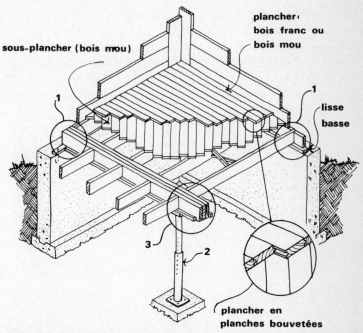

plancher bois franc ou bois mou

sous-plancher (bois mou)

lisse basse

plancher en planches bouvetées

*Faux-plancher ou sous-plancher (bois mou): sert à contreventer la structure. Il peut être posé à un angle de 45° ou perpendiculairement aux solives.*

Ce mode d'assemblage est généralisé dans les structures actuelles. On coule d'abord le mur de fondation et on y dépose la charpente du plancher. Avant d'installer les solives, une pièce de bois horizontale (lisse basse) est installée sur le dessus du mur.

# Espace sous le rez-de-chaussée

À Montréal, nous retrouvons deux genres d'espace sous le rez-de-chaussée: le vide sanitaire et la cave.

Le vide sanitaire contient peu d'espace libre tandis que la cave a une hauteur libre plus grande, ce qui permet d'y circuler librement et d'y ranger des objets.

Le vide sanitaire a un sol en terre, alors que le plancher de la cave est, soit en terre battue, soit en béton.

vide sanitaire

cave

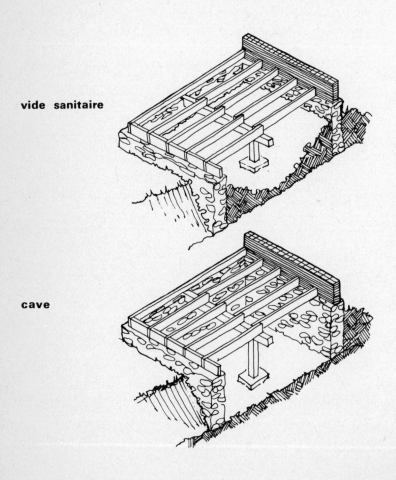

26

# Ventilation — vide sanitaire et cave

## Fonction

La ventilation est un principe de base qui permet de protéger la charpente en bois contre les effets de l'humidité, principalement la pourriture.

Dans le cas d'une cave ou d'un vide sanitaire, la ventilation permet d'évacuer, le plus rapidement possible, l'humidité provenant du sol et des murs de fondation.

Afin d'assurer une ventilation adéquate, il faut un minimum de deux ouvertures localisées de façon à créer un bon courant d'air. La dimension requise des ouvertures est de un pied carré par 500 pieds carrés de surface de plancher. (rapport de 1/500)

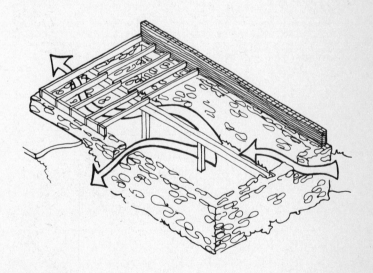

## Important

Au printemps, enlever tout ce qui obstrue les ouvertures, jusqu'à la saison froide, pour assurer une bonne ventilation.

# Charpente des murs extérieurs

## Fonctions principales

La charpente en madriers communément appelée « carré de madriers » est le type de construction le plus couramment utilisé à Montréal.

Cette charpente comprend les madriers de soutien verticaux (ou poteaux), les madriers de soutien horizontaux (linteaux) et les madriers (ou pièces) de remplissage.

Le madrier utilisé est soit de 3 pouces (76 mm) soit de 2 pouces (51 mm) recouvert d'une planche à 45° de 1 pouce (25 mm) d'épaisseur. La largeur varie entre 8 et 24 pouces (203 et 610 mm) — généralement 10 pouces (254 mm).

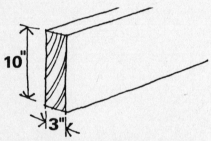

## Fonctions principales des composantes

1. Le *linteau* prend les charges et les répartit sur les poteaux de chaque côté. Certains linteaux ne supportent que le poids des pièces de remplissage, d'autres servent d'assise pour les solives de planchers ou de balcons.

2. Les *poteaux* reçoivent toutes les charges du bâtiment transmises par les linteaux et communiquent ces charges à la fondation sur laquelle ils reposent directement. Les poteaux sont continus, de la fondation au toit.

## Caractéristiques

- Bonne résistance au feu
- Grande rigidité
- Valeur isolante appréciable

# Vue d'ensemble

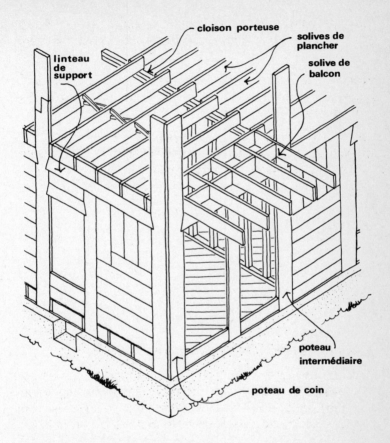

La charpente des murs en madriers est généralement construite de cette façon. Cependant, beaucoup de vieilles maisons ont été construites sans respecter ces principes de base.

# Remplissage et assemblage à biseau — détail 1

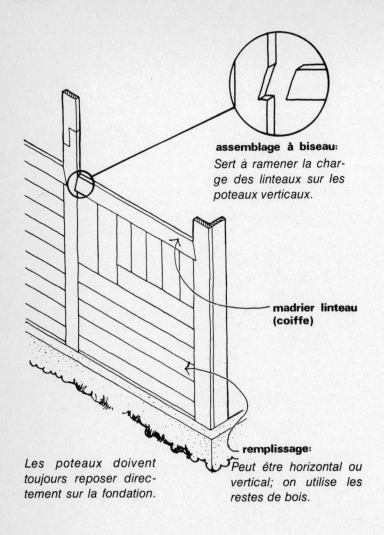

**assemblage à biseau:** Sert à ramener la charge des linteaux sur les poteaux verticaux.

**madrier linteau (coiffe)**

Les poteaux doivent toujours reposer directement sur la fondation.

**remplissage:** Peut être horizontal ou vertical; on utilise les restes de bois.

# Ouverture de fenêtre — détail 2

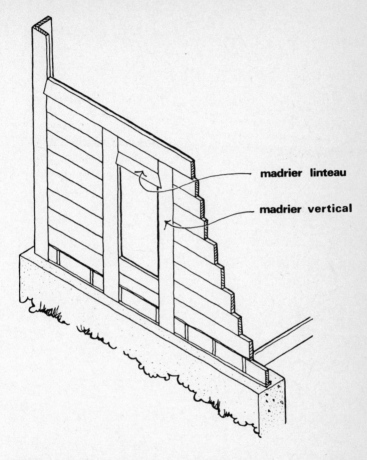

madrier linteau

madrier vertical

*Il doit y avoir un madrier vertical de chaque côté des ouvertures (sauf pour une fenêtre de moins de 2'6" de largeur ou 762 mm) et un madrier linteau assemblé à biseau.*

# Charpente des murs intérieurs

## Cloison porteuse

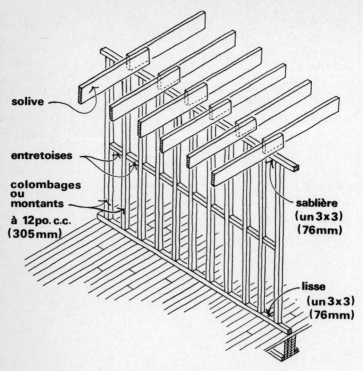

solive

entretoises

colombages
ou
montants
à 12po. c.c.
(305mm)

sablière
(un 3 x 3)
(76mm)

lisse
(un 3 x 3)
(76mm)

## Fonction

Supporter, comme les murs extérieurs, le poids des planchers et du toit et le transmettre à la poutre centrale.

Les cloisons porteuses se situent généralement au centre du bâtiment (mur des corridors) et leurs montants sont plus rapprochés que ceux d'une cloison non porteuse (12 pouces ou 305 mm de centre à centre).

Autrefois, on utilisait surtout des montants de 3 x 3; aujourd'hui, l'utilisation de 2 x 4 est généralisée.

# Cloison non porteuse

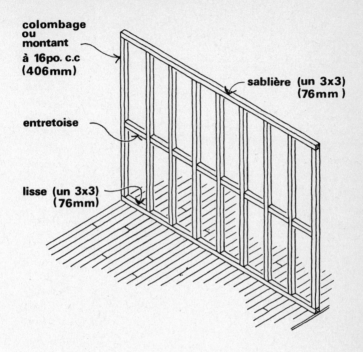

colombage
ou
montant
à 16po. c.c
(406mm)

sablière (un 3x3)
(76mm )

entretoise

lisse (un 3x3)
(76mm)

## Fonction

Recevoir la finition intérieure et diviser un bâtiment en plusieurs espaces.

Cette cloison ne supporte aucun poids de plancher, mais assure une plus grande rigidité à la charpente du bâtiment.

# Compréhension d'une charpente

## Méthode à suivre

Lorsqu'on a l'intention de faire d'importants travaux de rénovation ou des réaménagements à l'intérieur d'un logement, il faut déterminer:

- à quel type de structure (acier, bois, madrier) on a affaire;
- dans quel sens sont posées les solives et la poutre;
- où sont les murs porteurs; etc...

On peut déterminer la structure déjà en se rendant compte dans quel sens s'oriente la poutre au sous-sol. Les murs porteurs devraient être dans le même sens et au-dessus. Cependant, il n'est pas rare de constater, dans les vieilles maisons, un décalage entre les murs porteurs et la poutre.

Si les travaux de rénovation doivent affecter la structure de la maison, il est préférable de pratiquer des ouvertures dans les plafonds, au-dessus des cloisons que l'on croit porteuses, et de vérifier si les solives se rejoignent bien à cet endroit.

Attention, cependant. Il ne faut pas confondre les solives avec les fourrures (morceau de bois de 1 x 2). Il arrive souvent que les lattes de bois sur plafond soient clouées à une fourrure perpendiculaire aux solives.

Il n'est pas rare de voir des solives qui s'orientent différemment d'un étage à l'autre. On conseille donc de pratiquer des ouvertures dans les plafonds des garde-robes, à des endroits stratégiques, afin de vérifier dans quel sens s'orientent les solives.

Lorsqu'il s'agit d'une maison où il y a déjà eu un local commercial (grand espace libre), il arrive souvent que le plafond comporte une structure d'acier, ce qui entraîne beaucoup de particularités au niveau de la structure des étages supérieurs.

# Structure — composition d'un plancher d'étage

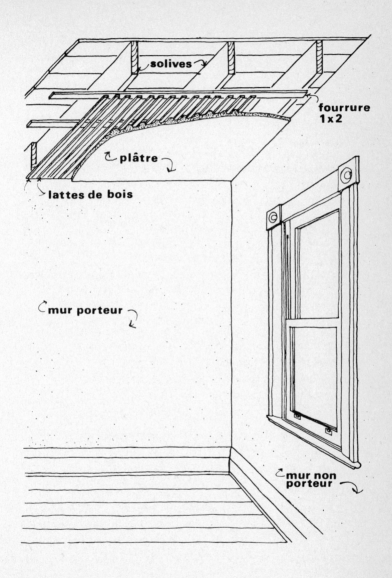

solives

fourrure 1 x 2

plâtre

lattes de bois

mur porteur

mur non porteur

# Saillie

## Balcon

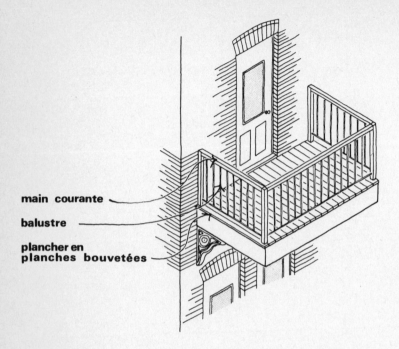

main courante

balustre

plancher en
planches bouvetées

Les saillies sont les parties du bâtiment qui se dégagent du mur extérieur. Nous traiterons ici du balcon et de l'escalier extérieur.

Les balcons possèdent une structure reliée à celle de la maison.

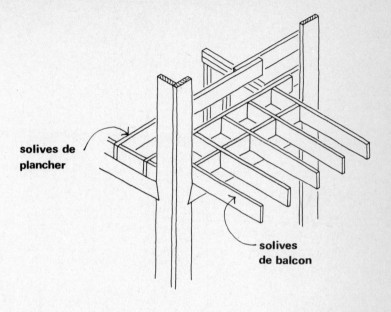

**solives de plancher**

**solives de balcon**

Les solives du balcon sont fixées à la première solive du plancher et s'appuyent au mur extérieur en reposant sur un linteau.

Les balcons superposés sont souvent soutenus à leurs extrémités par des poteaux qui supportent alors une partie du poids des solives.

# Escalier

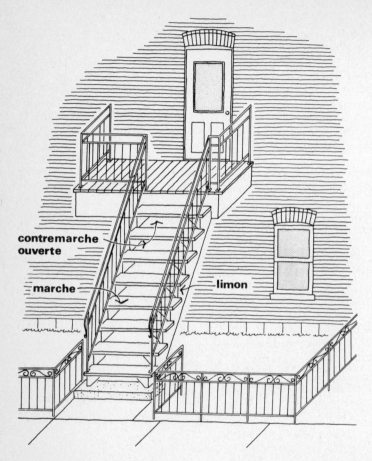

**contremarche ouverte**

**marche**

**limon**

Les limons forment la structure de l'escalier; ils supportent les marches.

Dans le cas d'un escalier extérieur, comme ici, ils sont généralement en métal.

Les limons reposent généralement sur une dernière marche en pierre ou en béton afin d'éviter la corrosion ou la moisissure auxquelles sont exposés les limons en bois.

# Structure
## Explications supplémentaires

Ces quelques détails supplémentaires et le dessin qui suit vous donnent une vue d'ensemble de la structure des maisons dites « en rangées ».

— Ce qui différencie la charpente des murs extérieurs des maisons de Montréal, c'est son *madrier*.

— La charpente du *toit plat* comporte une légère pente intérieure vers le drain situé généralement au centre de la maison.

— Les *cloisons porteuses* sont généralement alignées les unes au-dessus des autres et reposent sur la poutre centrale du sous-sol.

— Le *mur mitoyen* appartient à deux maisons et est construit sur la ligne de propriété des deux terrains (une seule fondation). À Montréal, le mur mitoyen doit servir de coupe-feu, c'est-à-dire, avoir une grande résistance au feu ou du moins en ralentir la propagation. Aussi, est-il construit de deux rangs de briques ou de blocs de béton. Ce mur est aussi porteur: il supporte le poids des solives des planchers et du toit.

Le mur mitoyen peut parfois être composé d'un seul rang de briques dans les très vieilles maisons construites les unes à la suite des autres et à différentes époques. Le mur mitoyen est alors composé comme un mur de façade sur lequel une autre maison vient s'appuyer.

# Vue d'ensemble

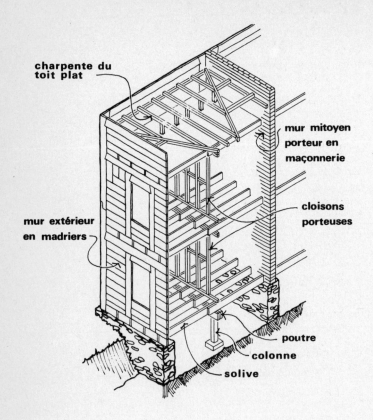

charpente du toit plat

mur mitoyen porteur en maçonnerie

cloisons porteuses

mur extérieur en madriers

poutre

colonne

solive

# ENVELOPPE

## Principes généraux

Une fois la structure montée, on s'attaque à la finition extérieure, à la pose de l'isolant, des fenêtres et des portes,
afin de rendre la maison étanche. C'est ce qui constitue
l'enveloppe de la maison.

### Fonctions de l'enveloppe

Protéger la charpente de la détérioration causée par l'eau
et le gel.

Assurer le confort des occupants et les protéger contre les
intempéries (la pluie, le vent, l'humidité, le gel, la neige...).

### L'enveloppe doit posséder trois propriétés:

1. L'imperméabilité (résistance à l'eau).

2. La résistance thermique (protection contre les variations
   de température).

3. La résistance mécanique (stabilité, durabilité).

# Murs extérieurs

## Composantes

La finition du mur extérieur comprend la pose du papier de revêtement, la couche d'air isolante, les attaches, la maçonnerie et les chantepleures.

Chacune des composantes doit respecter certains principes si l'on veut bien protéger le mur de madriers.

### Papier de revêtement: très important

C'est un papier traité de goudron ou d'asphalte et qui empêche l'eau d'attaquer la charpente de bois tout en permettant au bois de respirer.

### Espace d'air

Un espace de $3/4''$ à $1''$ (19 mm à 25 mm) entre le revêtement de maçonnerie et la charpente du mur permet à l'eau qui s'infiltre à travers la maçonnerie de s'écouler par les chantepleures et *permet à l'air de circuler* pour chasser l'humidité.

### Attaches

Le revêtement de maçonnerie est relié à la charpente en madriers à l'aide de clous ou d'attaches métalliques enfouies dans le mortier et clouées à la charpente.

### Maçonnerie (brique ou pierre)

Elle sert généralement de revêtement extérieur et ne fait pas partie de la structure du bâtiment, sauf dans le cas des murs mitoyens. Les pièces sont liées entre elles par du mortier.

### Chantepleures

On laisse des joints de brique verticaux vides de mortier, à toutes les trois briques au bas du mur, afin de laisser l'eau s'égoutter, et l'air circuler.

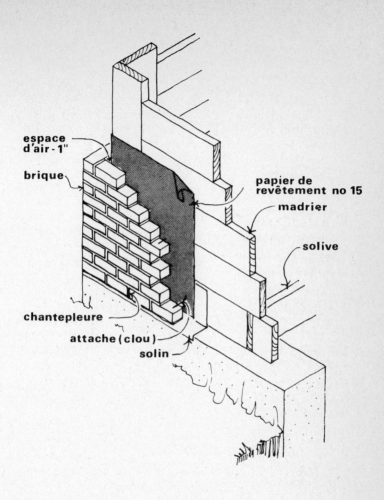

espace
d'air - 1"

brique

papier de
revêtement no 15

madrier

solive

chantepleure

attache (clou)

solin

43

# Toit plat

## Principes généraux

C'est un toit qui est presque plat et qui a une pente suffisante pour drainer l'eau qui s'y accumule.

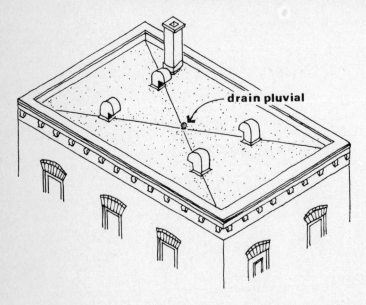

drain pluvial

Lorsque les pentes du toit convergent toutes vers un même point, on y trouve un drain pluvial qui permet l'écoulement des eaux de pluie au travers du bâtiment.

S'il n'y a qu'une pente orientée vers un des côtés du bâtiment, l'écoulement des eaux se fait d'une façon naturelle vers ce côté. Une gouttière doit être installée. (Ex.: toit de hangar.)

### Important

On doit inspecter la couverture tous les deux ou trois ans. Il faut être prudent lorsqu'on marche dessus (surtout en hiver), car le goudron et l'asphalte, éléments d'étanchéité, sont friables à des températures extrêmes.

# Couverture multi-couches

La pose de la couverture doit se faire de façon soignée, car le toit plat, ayant une surface presque horizontale, est beaucoup plus sujet à l'infiltration de l'eau. Il faut protéger particulièrement les joints entre les surfaces horizontales et verticales.

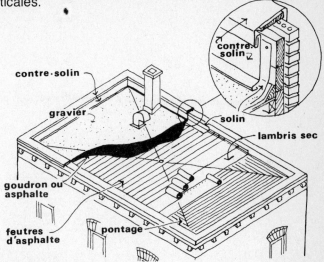

## Membrane

Rendre la surface du toit étanche au moyen de plusieurs couches de feutre collées au goudron ou à l'asphalte.

## Gravier

Retenir le papier contre la succion du vent et rendre le goudron ou l'asphalte moins fluides par temps chaud.

## Solin

Rendre étanches tous les joints de rencontre entre la surface de la toiture et les surfaces verticales.

## Contre-solins

Protéger le solin contre les chocs et rendre étanche à l'eau l'espace d'air entre le mur en bois et la brique.

# Isolation

## Fonctions principales

L'isolant est un élément de l'enveloppe qui permet à celle-ci de mieux résister aux variations de température.

En hiver, l'isolant empêche la chaleur de la maison de s'échapper par le toit, les murs extérieurs et le sous-sol. En été, quoique moins important, l'isolant empêche la maison d'absorber une trop grande quantité de chaleur.

La « valeur isolante » (ou R) d'un matériau est toujours évaluée en fonction de sa résistance à la transmission de la chaleur.

C'est principalement pour réduire les coûts de chauffage qu'on ajoute de l'isolant à un bâtiment.

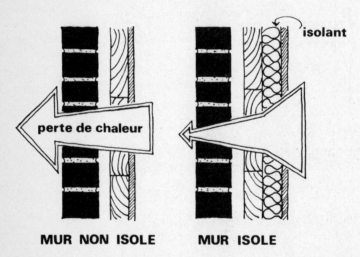

MUR NON ISOLE          MUR ISOLE

## Résistance « R »

Les murs des vieilles maisons de Montréal ont une valeur « R » d'environ 7.6 (brique, espace d'air, carré de madriers, espace d'air, finition intérieure en plâtre). Cependant les matériaux dits isolants ont une très grande résistance aux pertes de chaleur. Plus « R » est grand et plus le matériau est isolant.

# Normes d'isolation

Lorsqu'on construisait une maison à Montréal, avant 1945, en général on n'ajoutait pas de matériau isolant à l'enveloppe du bâtiment. La charpente avait une valeur isolante relativement grande.

Afin de réduire les coûts de chauffage et d'assurer un plus grand confort, il est devenu nécessaire d'augmenter la valeur isolante des murs, du toit et de la cave ou vide-sanitaire, pour atteindre, si possible, les normes mentionnées ci-après.

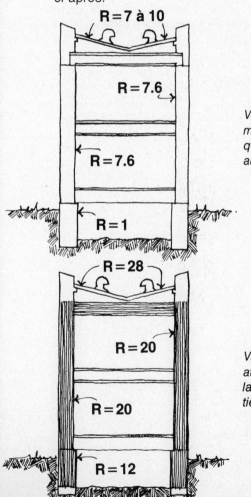

*Valeurs isolantes des vieilles maisons à Montréal telles qu'elles étaient construites autrefois.*

*Valeurs isolantes qu'il faut atteindre lorsqu'on isole toute la maison ou une de ses parties (1982).*

47

# Matériaux

On distingue les matériaux isolants selon leur composition et leur méthode d'application. Les matériaux présentés ici sont ceux le plus couramment utilisés dans la rénovation.

## Isolant en matelas ou en rouleau

### Composition

- Composé de fibre de verre, de coton minéral ou de ouate minérale.
- Se vend recouvert ou non de coupe-vapeur.

### Caractéristiques

- Peut être endommagé par l'eau, donc doit être recouvert d'un coupe-vapeur.
- Le moins coûteux à l'achat.

### Usage

On s'en sert pour isoler les murs, les plafonds, les planchers, les sous-sols, etc. Il se pose entre les montants et les solives.

ISOLANT EN MATELAS       ISOLANT EN ROULEAU

## Isolant en vrac

### Composition

Se vend en sacs, sous forme de grains, de fibres ou de petites boules.

### Caractéristiques

Certains produits en vrac peuvent être endommagés par l'eau. Il est alors préférable de les protéger d'un coupe-vapeur. D'autres sont à l'épreuve de l'eau, mais coûtent plus cher à l'achat.

### Usage

Pour la rénovation, il sert principalement à isoler l'entretoit là où on ne peut utiliser l'isolant en matelas à cause d'un espacement irrégulier entre les solives ou d'une difficulté d'accès pour effectuer le travail. (Voir: Isolation — toit.)

## Isolant rigide

### Composition

Se vend en panneaux de polyuréthane ou de polystyrène de diverses grandeurs et épaisseurs. Les plus communs sont: le polystyrène moulé (bleu) et le polystyrène expansé (blanc).

Le *blanc* est formé de particules agglomérées et est assez friable lorsqu'on le manipule.

Le *bleu* est plus rigide, il est fait d'un morceau et se pose plus rapidement. Son prix est cependant plus élevé que le blanc.

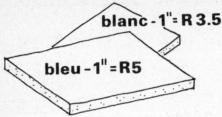

## Caractéristiques

- Grande valeur « R » pour une faible épaisseur (bleu).

- Très inflammable, en plus de dégager des gaz nocifs lorsqu'il brûle. Doit donc être recouvert d'un matériau ignifuge, c'est-à-dire qui offre une grande résistance contre le feu, comme le panneau de gypse.

- Grande résistance à l'eau.

## Usage

Sert à isoler les murs et le tour du vide-sanitaire.

## Isolant mousse

### Composition

L'uréthane ou le polyuréthane sont composés de deux produits chimiques mélangés sur place lors de la pose. Le mélange se forme en mousse et durcit en quelques heures.

### Caractéristiques

- Prend de l'expansion en séchant. Il est donc peu conseillé de l'utiliser pour isoler les murs des vieilles maisons, entre la brique et la charpente, car il peut faire éclater la brique et il emprisonne l'humidité dans la charpente.

50

- A une grande valeur isolante.

- Très inflammable et requiert les mêmes précautions que l'isolant rigide.

- Perd sa résistance thermique au contact de l'air et du soleil. Il faut le traiter à la peinture, le recouvrir de ciment ou d'un panneau d'amiante.

- Rend imperméable (à l'eau et à l'air) les surfaces isolées.

## Usage

Sert à isoler les murs extérieurs ou les murs de fondation (sous-sol, vide-sanitaire) en particulier les surfaces irrégulières.

# Résistance de quelques isolants

| Isolant en vrac | Valeur « R » au pouce |
|---|---|
| Fibre de verre | 2.4 à 3.5 |
| Vermiculite | 2.1 à 2.5 |

**En matelas**

| | |
|---|---|
| Fibre de verre | 2.9 à 4.0 |

**En panneau (rigide)**

| | |
|---|---|
| Polystyrène moulé (bleu) | 5 |
| Polystyrène expansé (blanc) | 3.5 |
| Polyuréthane | 5.0 à 6.0 |

**En mousse**

| | |
|---|---|
| Mousse d'uréthane | 4.3 à 4.9 |
| Mousse de polyuréthane | 4.7 à 5.0 |

*Remarque:*
La valeur isolante au pouce varie selon la nature du matériau. Plus « R » est grand et plus le matériau donné est isolant. Le prix est fonction de l'efficacité du matériau et des conditions de pose.

**Résistance du mur extérieur des vieilles maisons à Montréal**

| | |
|---|---|
| Film d'air extérieur | 0.17 |
| Brique (3¾″) | 0.80 |
| Espace d'air (1″) | 0.85 |
| Papier de construction | 0.06 |
| Madrier (3″) | 3.75 |
| Fourrures (espace d'air) | 0.91 |
| Plâtre et lattes | 0.40 |
| Film d'air intérieur | 0.68 |

R.7.62

# Pare-vapeur

## Fonction

Le pare-vapeur sert à empêcher l'humidité contenue dans l'air du logement de traverser l'isolant et la charpente et de les endommager. Ce matériau s'est avéré nécessaire depuis que l'on isole les maisons.

Il faut poser le pare-vapeur pour que le côté chaud de l'isolant soit à l'intérieur, empêchant ainsi l'air humide d'atteindre le côté froid. C'est au contact du froid que la vapeur d'eau contenue dans l'air se condense.

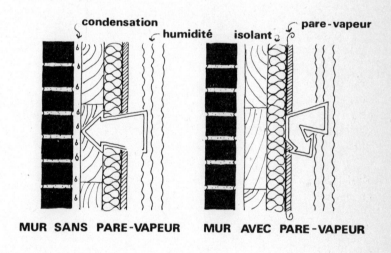

MUR SANS PARE-VAPEUR     MUR AVEC PARE-VAPEUR

## Pare-vapeur

Le meilleur pare-vapeur est un papier imperméable, sans qu'il soit complètement étanche comme le polyéthylène. Ce dernier peut emprisonner les vapeurs d'eau dans le mur et faire pourrir la charpente.

D'autres matériaux jouent le rôle de pare-vapeur de par leur constitution même, comme le polystyrène, et ne nécessitent pas de pare-vapeur supplémentaire.

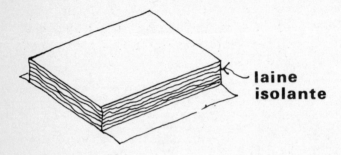

**laine isolante**

## Pose

Lorsqu'on pose le pare-vapeur, il faut faire attention de ne pas le percer, car un trou dans ce dernier réduit son efficacité.

## Remarque

Lorsqu'on ne peut poser de pare-vapeur, il faut appliquer, sur le fini de plâtre, une couche

de peinture aluminium,

de peinture émail (plusieurs couches),

ou de vernis.

# Isolant — calfeutrage, scellement et coupe-froid

Pour réduire les pertes de chaleur autour des portes, des fenêtres et de leurs cadres, il faut boucher les fentes à l'aide de feutre ou d'un produit de scellement approprié.

Le produit de scellement est une pâte en cartouche que l'on applique, à l'aide d'un pistolet, autour du cadre extérieur des portes et des fenêtres.

Les feutres servant au calfeutrage consistent en un isolant que l'on pose entre le bâti de la fenêtre et la charpente en madriers lorsqu'on installe les fenêtres et les portes. Autrefois on utilisait de l'étoupe.

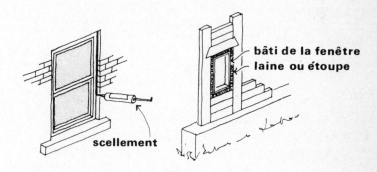

bâti de la fenêtre
laine ou étoupe

scellement

Une autre forme de calfeutrage consiste à poser des *coupe-bise* ou coupe-froid au point de rencontre d'une pièce mobile d'une fenêtre ou d'une porte, avec une surface non mobile. Il existe plusieurs variétés de coupe-bise ainsi que différentes façons de les poser.

Pour obtenir des renseignements plus précis sur l'isolation, les coupe-vapeur, le calfeutrage, etc., il existe une bonne source d'informations: « *Emprisonnons la chaleur* », publié par Énergie, Mines et Ressources Canada.

55

## Ventilation de l'entretoit

Lorsqu'on isole l'entretoit, il faut assurer une meilleure ventilation de cet espace. Cette ventilation permet à l'humidité de s'échapper de façon naturelle, empêchant celle-ci de se condenser et d'attaquer l'isolant.

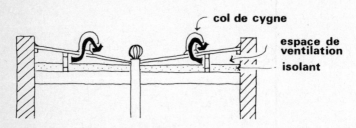

col de cygne

espace de ventilation

isolant

**VUE EN COUPE DU TOIT**

En règle générale, l'entretoit des vieilles maisons n'était pas isolé. Souvent on ne retrouve qu'un ou deux cols de cygne pour en assurer la ventilation. Parfois, il n'y en a aucun.

Dans une construction neuve ou lorsqu'on isole l'entretoit d'une vieille maison, on doit pratiquer plusieurs ouvertures dans la couverture pour permettre une ventilation adéquate (prévoir 1 pi ca d'ouverture par 300 pi ca de surface de toit ou rapport de 1/300).

moustiquaire

### Col de cygne

Forme en métal qui sert à protéger des intempéries une ouverture de ventilation pratiquée dans la couverture.

# Ouvertures

## Composition d'une porte

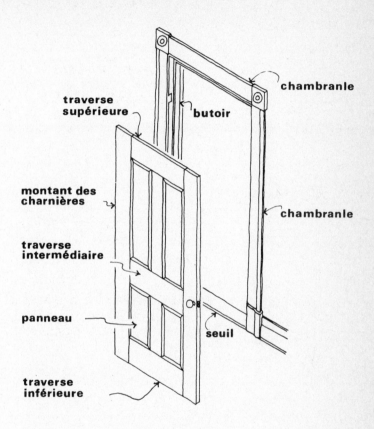

traverse supérieure

butoir

chambranle

chambranle

montant des charnières

traverse intermédiaire

panneau

seuil

traverse inférieure

L'épaisseur d'une porte intérieure est généralement de 1³/₈″ (34 mm), tandis que l'épaisseur d'une porte extérieure varie entre 1³/₄″ et 2¹/₄″ (31 mm à 57 mm).

# Types de fenêtres

Les fenêtres d'une maison laissent pénétrer la lumière, servent à l'aération des pièces et donnent vue sur l'extérieur.

Les *fenêtres à guillotine* glissent verticalement dans des coulisses. Les fenêtres en bois ont un système de contrepoids qui en facilite l'ouverture et la fermeture.

La *fenêtre française* s'ouvre en tournant sur pivots, ce qui permet l'aération maximale d'une pièce.

La *fenêtre coulissante* glisse horizontalement dans des coulisses ou sur des rails.

La *fenêtre fixe* et *coulissante* comprend une section où le verre est fixe et une autre section mobile, en vue de permettre la ventilation des pièces.

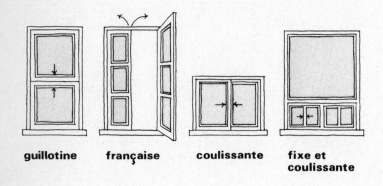

**guillotine**  **française**  **coulissante**  **fixe et coulissante**

# Composition d'une fenêtre

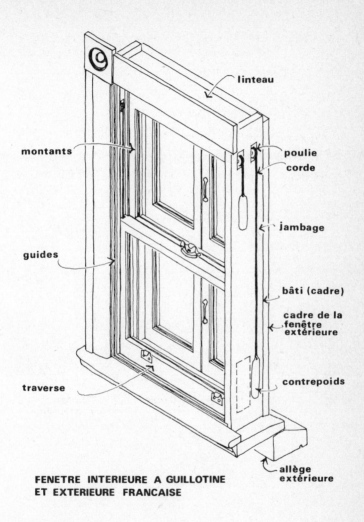

linteau

montants

poulie

corde

jambage

guides

bâti (cadre)

cadre de la fenêtre extérieure

traverse

contrepoids

allège extérieure

**FENETRE INTERIEURE A GUILLOTINE ET EXTERIEURE FRANCAISE**

59

# Finition intérieure

## Murs de plâtre

Dans les anciennes maisons, les murs et les plafonds étaient finis en plâtre. Maintenant, on les finit avec des panneaux de gypse fixés directement sur les montants verticaux. Cette technique est plus rapide et moins coûteuse.

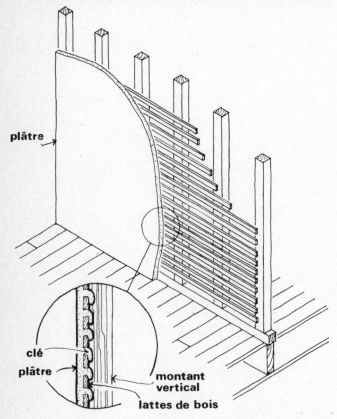

plâtre

clé
plâtre

montant
vertical

lattes de bois

**COUPE VERTICALE DU MUR**

Le plâtre est posé sur des lattes de bois horizontales. Il pénètre entre les lattes de bois et forme des clés qui l'empêchent de décoller du mur.

60

# Mur en panneaux de gypse

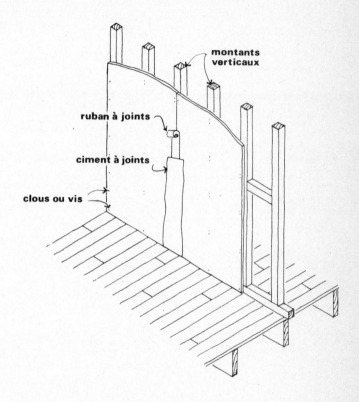

montants verticaux

ruban à joints

ciment à joints

clous ou vis

Les panneaux de gypse (ou placoplâtre) sont composés de gypse recouvert d'un papier épais de chaque côté. On les cloue ou on les visse aux montants verticaux et on recouvre de ruban et de ciment à joints les joints entre deux panneaux. Les clous sont aussi recouverts de ciment.

Les panneaux peuvent être posés horizontalement ou verticalement.

SERVICES

# Principes généraux

Le rôle des services est de distribuer à l'ensemble de la maison les éléments nécessaires au confort des occupants, tels l'eau, l'électricité, le gaz (s'il y a lieu), la chaleur.

Les services comprennent donc le système de plomberie, le système électrique, l'alimentation en gaz naturel et le système de chauffage.

Leur distribution exige un ensemble de canalisations qui circulent généralement à l'intérieur des murs et qui sont branchées sur le réseau public (eau, électricité). C'est pourquoi une réparation ou le remplacement complet d'un système entraîne de nombreux frais additionnels, tels les travaux de finition, etc.

Ces services doivent répondre aux besoins des occupants en plus d'être sécuritaires.

Nous allons voir dans les pages qui suivent comment chaque système doit appliquer ces principes élémentaires.

# Plomberie

## Fonctions principales

La plomberie comporte tout un ensemble de canalisations servant soit à alimenter un certain nombre d'appareils, soit à diriger les eaux usées vers les égouts municipaux (alimentation d'eau et drainage). L'installation d'un système de plomberie doit respecter certaines normes si l'on veut prévenir les fuites et éviter l'obstruction des tuyaux.

— Les tuyaux doivent être faits de matériaux pouvant résister à l'action corrosive de l'eau.

— Les joints entre les tuyaux doivent résister à la pression de l'eau.

— Dans le cas des tuyaux de renvoi, leur cheminement doit permettre l'évacuation rapide des eaux usées.

## Alimentation d'eau

### Entrée d'eau

L'eau qui provient de l'aqueduc municipal arrive à la maison dans des tuyaux de 1/2" à 1" (12 mm à 25 mm). Elle est sous pression, ce qui lui permet d'atteindre plusieurs étages.

Dans les anciennes maisons, le tuyau d'entrée d'eau qui relie l'aqueduc aux canalisations de la maison était en plomb, en acier galvanisé, en fonte grise ou en fer noir. Aujourd'hui on utilise des tuyaux de cuivre.

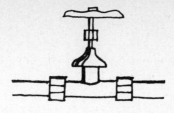

## Valve d'arrêt de la conduite principale

À l'extrémité du tuyau d'entrée d'eau, généralement près du mur de fondation, à l'intérieur, on pose une valve d'arrêt. Celle-ci sert à interrompre l'alimentation en eau de toute la maison.

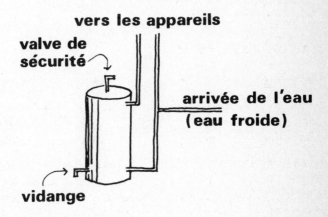

## Chauffe-eau

À partir de la valve d'arrêt, le tuyau d'alimentation d'eau se rend au chauffe-eau et bifurque: eau chaude, eau froide. Un tuyau de chaque sorte se rend aux appareils sanitaires.

## Les tuyaux d'alimentation

Anciennement, les tuyaux d'alimentation étaient en acier galvanisé à bouts filetés ou en plomb. On vissait les joints et on utilisait un produit quelconque pour en assurer l'étanchéité. Dans le cas des tuyaux de plomb, on soudait les joints.

Aujourd'hui, on utilise le tuyau de cuivre partout et les joints sont soudés à l'étain.

Tout en étant plus coûteux à l'achat, les tuyaux de cuivre entraînent moins de frais lors de l'installation, les joints se faisant plus rapidement. Ils sont aussi plus légers et plus souples. Le tuyau de cuivre peut-être souple ou rigide selon le type de travail à exécuter.

## Valve d'arrêt au logement et aux appareils

Il est préférable d'installer une valve d'arrêt pour chaque logement en cas d'avarie à la plomberie qui n'affecterait qu'un seul logement (fuite, réparation d'un robinet, etc.).

Très souvent, on posera des valves d'arrêt à certains appareils tels le cabinet d'aisance, le lavabo, le chauffe-eau, le lave-vaisselle.

# Drainage des eaux usées

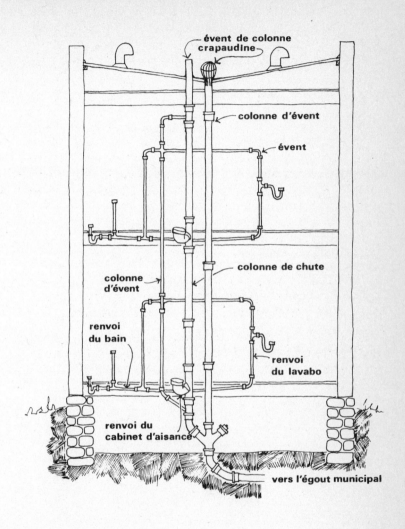

évent de colonne

crapaudine

colonne d'évent

évent

colonne de chute

colonne d'évent

renvoi du bain

renvoi du lavabo

renvoi du cabinet d'aisance

vers l'égout municipal

Chaque appareil possède un *renvoi* qui canalise, par gravité, les eaux usées vers la colonne de chute. Les renvois sont des tuyaux de 1¹/₄" à 4" (31 mm à 102 mm) en cuivre ou en fonte (en cuivre jusqu'à 2" ou 51 mm). La S.C.H.L.* ne permet les tuyaux de plastique que pour les évents et à condition que la colonne d'évent, d'un logement à un autre, soit en cuivre ou en fonte.

Les renvois seront installés en pente, facilitant ainsi l'évacuation rapide des eaux usées à la colonne de chute.

La *colonne de chute* est un gros tuyau vertical, en cuivre ou en fonte, qui canalise vers les égouts municipaux les eaux usées des appareils sanitaires environnants.

Dans les anciennes maisons, la colonne de chute servait très souvent, en même temps, au drainage des eaux du toit. Maintenant, le code exige qu'on utilise une canalisation différente dans chaque cas.

Aujourd'hui, les systèmes de plomberie comportent une colonne d'évent indépendante qui monte le long de la colonne de chute et reçoit sur son parcours les évents de tous les appareils.

La colonne d'évent se branche au sommet de la colonne de chute et celle-ci traverse le toit. On appelle cette partie l'« évent de colonne ».

Anciennement, la colonne de chute servait en même temps de colonne d'évent.

Les évents servent à chasser les gaz et les bactéries à l'extérieur et à maintenir une pression atmosphérique constante dans le système, afin d'accélérer l'évacuation et de maintenir l'eau dans les siphons.

---

* S.C.H.L.: Société centrale d'hypothèques et de logement.

Pour qu'un tuyau se vide à une extrémité, il faut permettre à l'air de rentrer à l'autre extrémité. Pour comprendre ce principe, on peut comparer le tuyau à une boîte de jus en conserve dans laquelle on doit pratiquer deux ouvertures si on veut la vider de son contenu. D'un côté, le jus se vide et, de l'autre, l'air entre et rétablit la pression atmosphérique à l'intérieur de la boîte. Si l'on ne fait qu'un trou, le jus ne coulera pas normalement.

Le siphon est toujours rempli d'eau, ce qui empêche les odeurs et les bactéries de se répandre à l'intérieur du logement.

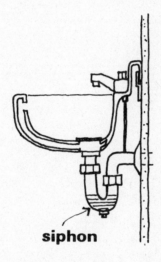

**siphon**

Le regard de nettoyage sert d'accès pour éliminer tout ce qui pourrait obstruer les tuyaux d'égout.

# Système électrique

## Principes

L'électricité est distribuée dans nos maisons par des canalisations ou des fils de différentes grosseurs. La grosseur d'un fil détermine la quantité de courant qui peut le traverser ou l'ampérage.

On dira par exemple qu'un fil no 14 a une capacité de 15 ampères, ce qui signifie qu'il peut laisser passer 15 ampères de courant de façon sécuritaire. S'il passe plus de courant, le fil risque de surchauffer.

Pour pouvoir circuler jusqu'aux appareils, le courant doit arriver sous pression, c'est le voltage. Dans nos maisons, le courant arrive sous une pression de 110 volts.

On peut comparer le voltage à la pression dans un tuyau d'alimentation d'eau et l'ampérage à la quantité d'eau qui circule dans le tuyau.

Le watt est une unité de mesure indiquant la puissance d'un appareil électrique. En connaissant la puissance, on peut déterminer la quantité de courant qu'il faudra à l'appareil pour fonctionner.

$$\text{Ampères} = \frac{\text{watts}}{\text{volts}}$$

Pour les appareils qui fournissent une grande puissance (plinthe chauffante, sécheuse, poêle, etc.) on augmente le voltage (ou pression) à 220 volts.

De cette façon, la demande de courant (ou ampères) est réduite.

ex.: plinthe chauffante de 1000 watts

sur le 110 volts: $\dfrac{1000}{110} = 9$ ampères

sur le 220 volts: $\dfrac{1000}{220} = 4,5$ ampères.

Le principe de base à respecter lorsqu'on installe un système électrique est de prévoir une capacité suffisamment grande pour répondre aux besoins du logement (grosseur du fil et de l'entrée électrique, nombre de sorties sur un circuit).

Des installations électriques trop faibles sont souvent la cause d'incendies.

## Entrée électrique

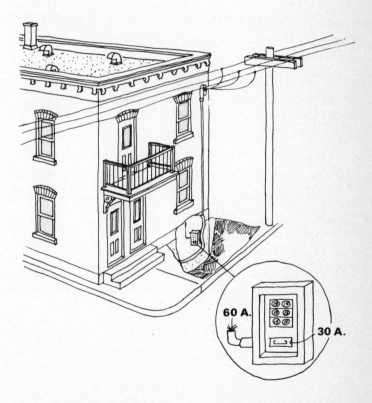

Le courant électrique arrive à la maison par des câbles aériens ou souterrains et passe dans un compteur avant de se rendre à un panneau de distribution qui le répartit en plusieurs circuits.

71

On retrouve généralement dans les vieux bâtiments des entrées électriques d'une capacité de 30 ou de 60 ampères, ce qui correspondait aux besoins de l'époque.

Dans les bâtiments plus récents, on installe des entrées électriques de 100, 125, 150 ampères et même plus. C'est pour répondre aux demandes croissantes que la capacité des systèmes électriques doit être augmentée. Il faut maintenant alimenter des appareils tels que: les plinthes chauffantes (220 v.) le poêle (220 v.) le chauffe-eau (220 v.) la sécheuse (220 v.) les appareils ménagers, etc.

Dans un vieux bâtiment, lorsqu'on refait l'entrée électrique et qu'on prévoit installer une sécheuse et le chauffage électrique, il faut une entrée d'au moins 100 ampères, à 24 circuits.

Lorsqu'on déplace un panneau de distribution de 60 A et qu'il n'y a ni sécheuse, ni chauffage électrique, il est permis de maintenir la capacité de l'entrée à 60 A, mais il faut que le panneau possède un minimum de 16 circuits.

La grosseur de l'entrée est évaluée en fonction des besoins du logement.

La capacité des entrées électriques dépend de la grosseur du fil qui conduit l'électricité et du nombre de circuits dans le panneau de distribution.

Prenons un panneau de 60 ampères.

Le fil qui alimente le panneau peut fournir un ampérage maximum de 60 A.

Le panneau peut cependant distribuer 6 circuits de 15 ampères et un circuit de 30 ampères (15 A — 15 A) ce qui fait 90 ampères. Par contre, même si la capacité totale de tous les circuits est plus grande que la capacité du fil, on considère que la capacité maximum du panneau est de 60 A parce qu'il est très rare que tous les circuits fonctionnent en même temps et à leur pleine capacité.

# Distribution d'un circuit

Un circuit, comme celui qui est représenté ci-dessous, pour un usage général, part d'un fusible, sort du panneau et parcourt la distance nécessaire pour distribuer les sorties, soit: 8 sorties au maximum, dont 4 luminaires au maximum et 4 ou 5 prises.

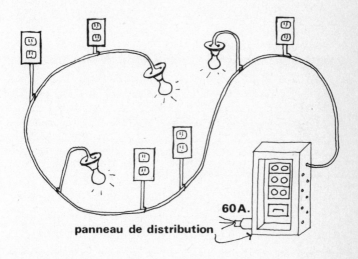

panneau de distribution      60A.

## Le fusible

Chaque circuit est protégé par un fusible ou un coupe-circuit **(braker)**. S'il y a une surcharge ou un court-circuit dans le système, le courant sera interrompu sur le circuit en question jusqu'à ce qu'on ait découvert la cause de l'interruption et qu'on y ait remédié. S'il n'y avait pas interruption de courant, les fils chaufferaient et pourraient provoquer un incendie.

C'est pourquoi il ne faut pas mettre de fusibles de plus de 15 *ampères.* Il est interdit de remplacer un fusible brûlé par un sou ou un morceau de plomb, car ceux-ci laissent passer le courant sans interruption. Un tel procédé peut être la cause d'un incendie si les circuits sont surchargés.

# Chauffage

## Fournaise murale

Dans les vieilles constructions, on retrouve généralement deux types de systèmes de chauffage: la fournaise murale à air chaud et le système central à eau chaude.

Dans certaines maisons qui ont été rénovées, on a installé un système à plinthes électriques dans chaque pièce ou dans quelques pièces pour pallier les déficiences de la fournaise murale.

### Fournaise murale

Un seul élément — la fournaise — fournit la chaleur aux pièces environnantes. L'air froid aspiré au bas de la fournaise est réchauffé et soufflé vers le haut. C'est le principe de la convection.

Cependant, ce système est moins efficace dans le cas de grands logements, car il produit beaucoup de chaleur à proximité du foyer, tandis que les pièces éloignées en reçoivent moins.

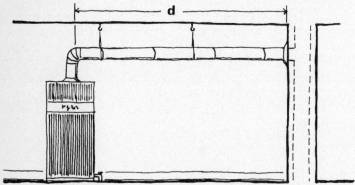

Pour une fournaise murale, la distance « d » maximum à la cheminée varie selon les étages:

● rez-de-chaussée : 24 pieds (7.32 m)

● 2ᵉ étage      : 18 pieds (5.49 m)

● 3ᵉ étage      : 12 pieds (3.66 m)

# Système central à eau chaude

L'eau est chauffée dans la chaudière et, par gravité, monte dans les tuyaux et les radiateurs et retourne, froide, à la même chaudière, pour être chauffée à nouveau.

L'eau circule en « circuit fermé » c'est-à-dire que c'est la même eau qui repasse constamment, sauf pour des pertes mineures. Ces pertes sont compensées par un réservoir d'alimentation.

Les radiateurs fournissent une grande partie de la chaleur par convection (réchauffement de l'air).

Une autre partie, moins importante, de la chaleur est fournie par rayonnement (émission de chaleur par le métal du radiateur).

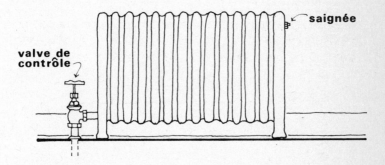

*Saignée: Ouverture qui sert à chasser l'air contenu dans les radiateurs.*

# DEUXIEME PARTIE

# Les problèmes
# et leurs solutions

## Mise en garde

Évitez d'appliquer sans discernement les solutions proposées dans cette deuxième partie.

Les problèmes qui surgissent sont presque toujours particuliers, et les solutions applicables sont multiples.

Il faut donc évaluer l'ensemble, bien cerner le problème, envisager toutes les solutions possibles avant d'en adopter une. C'est pourquoi, nous vous offrons, au début de chaque cas traité, une liste des causes susceptibles d'être identifiées.

En conclusion, assurez-vous que la solution que vous préconisez respecte les principes de base énumérés dans la première partie du présent volume.

# Introduction

## Les problèmes et leurs solutions

Dans cette deuxième partie, nous traitons d'un certain nombre de problèmes que nous avons pu identifier au cours de nos travaux de rénovation, ou que nous ont fournis des personnes ayant été appelées à résoudre des problèmes de même nature.

Nous sommes convaincus de n'avoir couvert qu'une infime partie des problèmes et de leurs solutions car, par expérience, nous savons que chaque maison, chaque chantier en présente toujours des nouveaux et oblige à recourir à des solutions pas toujours faciles.

Pour cette raison, nous avons structuré cette deuxième partie de manière à pouvoir la compléter de nouvelles expériences, de nouvelles solutions que vous jugerez utiles de nous adresser.

La rénovation est une activité relativement récente, où les expériences sont encore à faire et les solutions originales, à inventer.

Vous êtes donc invités à commenter nos solutions, à les compléter du fruit de votre propre expérience et à faire de ce volume un instrument dynamique face aux problèmes grandissants de la détérioration de notre patrimoine de logements.

# LA FONDATION

## Les problèmes et leurs causes

La fondation répartit tout le poids de la maison sur le sol. Aussi, un problème à ce niveau a-t-il des conséquences sérieuses sur les éléments de la charpente, de l'enveloppe et de la finition intérieure. Il importe donc de régler d'abord les problèmes de fondation et de sol avant de s'attaquer à leurs conséquences sur les autres parties de la maison.

Pour vous aider à identifier la cause de vos problèmes de fondation, nous énumérons ici les principaux éléments auxquels il faut en imputer la responsabilité.

1. Une mauvaise distribution du poids de la charpente sur le mur de fondation.

2. Un mur trop faible pour retenir le sol entourant la fondation.

3. Une semelle trop étroite comparée à la résistance du sol.

4. Un changement brusque dans la composition du sol.

5. Une semelle déposée sur différents sols.

6. Un mur de fondation trop poreux.

7. Un mauvais drainage de l'eau du sol.

8. Une semelle posée trop près de la surface du sol pour être protégée des effets de gel et de dégel.

## Infiltration dans les murs de pierre

Généralement, les murs de fondation en pierre des vieilles maisons ont des joints de mortier friables.

Dans certains cas, les joints sont sans mortier, les pierres étant simplement déposées les unes sur les autres.

Ces murs facilitent le passage de l'eau et de l'air froid. Dans ce cas, il faut analyser l'état des joints de mortier en les grattant avec une pièce de métal pour en évaluer la dureté et constater s'il y a infiltration d'eau entre les pierres.

### Solutions

### 1. Remplir les joints

Dans le cas de pierres simplement empilées, il est possible de remplir les joints avec du mortier jusqu'à une profondeur d'environ deux pouces (51 mm), sur la face intérieure du mur.

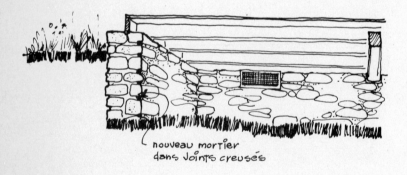

nouveau mortier
dans joints creusés

## 2. Réparer les joints

Si les joints de mortier sont très détériorés, les gratter sur une profondeur d'environ un pouce (25 mm) et remplir les cavités avec un nouveau mortier à maçonnerie plus étanche.

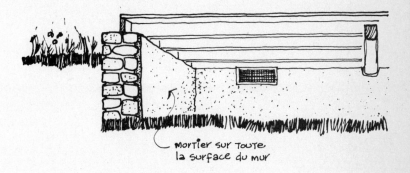

mortier sur toute la surface du mur

## 3. Couvrir les surfaces

Une dernière solution qui permet, par la suite, d'appliquer un panneau isolant, consiste à couvrir la surface des murs d'un mortier d'une épaisseur d'environ trois quarts de pouce (19 mm).

# Eau et humidité dans le sous-sol

Plusieurs maisons de Montréal ont une cave ou un vide-sanitaire en terre.

De plus, les fondations ne sont pas protégées par un drain au bas du mur.

Ces deux anomalies favorisent le passage de l'eau du sol vers le sous-sol et rendent les murs et les caves très humides, particulièrement au printemps, lors de la fonte des neiges.

## Solutions

### 1. Ventiler

Avant de chercher à réduire la pénétration de l'eau, il faut le plus rapidement possible assurer une bonne ventilation par des soupiraux pratiqués aux deux extrémités de la cave (vous référer à la page 27 de la première partie).

Cette ventilation évitera la formation de champignons (pourriture) sur la charpente en bois du plancher du rez-de-chaussée.

## 2. *Éloigner les eaux du mur*

Si la ventilation ne suffit pas à maintenir la cave sèche après la fonte de la neige, il faut alors stopper la venue de l'eau en la canalisant et en l'orientant pour qu'elle n'entre plus dans votre cave.

Une première solution consiste à rejeter les eaux de pluie loin du mur, soit par la construction d'un talus en pente autour de la maison, soit pas l'installation d'une gouttière à la toiture.

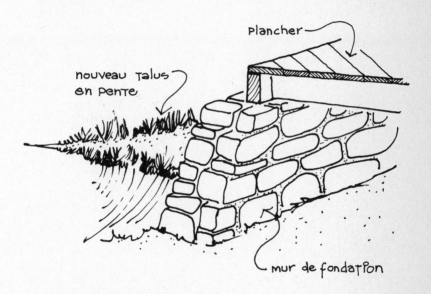

plancher

nouveau talus en pente

mur de fondation

## 3. *Installer un drain*

Si le rejet des eaux de pluie n'est pas suffisant, ou dans le cas des maisons de Montréal, presque impossible, il faut alors installer un drain français.

La technique la plus économique consiste à installer un drain par l'intérieur en creusant une petite tranchée tout autour du mur de fondation ou de la semelle en béton.

Le drain est raccordé au puisard et l'eau s'écoule naturellement, ou est pompée vers les égouts de la ville.

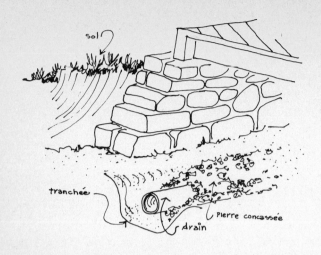

sol

tranchée

Pierre concassée

drain

## 4. Installer un drain extérieur

Une solution plus appropriée aux maisons exposées sur trois ou quatre côtés consiste à creuser une tranchée par l'extérieur, tout autour de la fondation, à imperméabiliser le mur et à installer un drain.

Dans le cas des murs de pierre, il faut imperméabiliser avec un crépi de ciment à maçonnerie de trois quarts de pouce d'épaisseur sur toute la surface des murs et appliquer deux couches de goudron. Le drain est alors installé au bas du mur, sur un fond de pierres concassées.

ciment et goudron

drain

mur de fondation

Dans le cas des murs de béton, imperméabiliser uniquement avec deux couches de goudron (voir à la page 18 de la première partie).

Cette dernière solution, le travail par l'extérieur, est beaucoup plus efficace mais plus coûteuse et moins réaliste en milieu urbain à cause, souvent, des trottoirs qu'il faudrait défoncer.

### 5. Imperméabiliser le plancher

Après s'être assuré d'un bon drainage des eaux de pluie, il peut être nécessaire de stopper l'humidité provenant de l'eau normalement contenue dans le sol (nappe d'eau).

Cette nappe d'eau varie en hauteur dans le sol, selon le type de terrain et les saisons.

C'est pourquoi des sous-sols sont plus humides que d'autres.

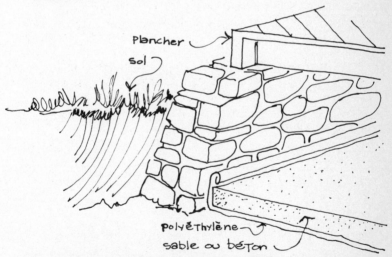

La solution proposée consiste à étendre un polyéthylène (ou polythène) de six millièmes sur le sol préalablement nettoyé et nivelé le mieux possible.

Couvrir le polyéthylène de trois pouces (76 mm) de sable ou de trois pouces (76 mm) de béton dans le cas d'un sous-sol utilisable.

# Fissure dans le mur de fondation

Une fissure dans un mur de fondation nous indique qu'une partie du mur s'est enfoncée dans le sol par rapport à une autre.

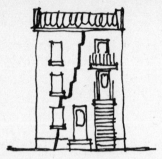

Généralement, ces fissures laissent des traces sur le revêtement extérieur. De longues fissures obliques se dessinent à travers les joints de brique ou de pierre, de la fondation à la toiture.

## Solutions

### 1. Vérifier les fondations

Il faut d'abord vérifier si la fondation s'est stabilisée ou si elle continue de bouger.

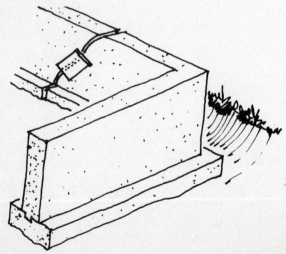

Avec une colle « Epoxie », coller un morceau de verre qui recouvrira la fissure. Si le mur bouge encore, le verre va se briser.

Il est recommandé de faire le test au printemps, car plusieurs fissures sont causées par l'effet du gel et du dégel du sol.

S'il ne se passe rien avec la plaque de verre, vous pouvez élargir la fissure avec un ciseau à béton et la rendre étanche avec un béton à haute résistance à l'eau et aux efforts. (Exemple: béton « Speed Crete ».)

## 2. Drainer le sol

Si la fissure provient d'un mouvement continuel causé à tous les printemps par l'effet du gel et du dégel du sol, il faut bien drainer ce dernier pour réduire les gonflements. (Voir méthodes de drainage pages 19, 87 et 88.)

## 3. Isoler la fondation

Si la partie de la fondation qui semble avoir bougé n'est pas suffisamment profonde dans le sol pour être protégée du gel, il faut alors, en plus de bien drainer, isoler la partie exposée.

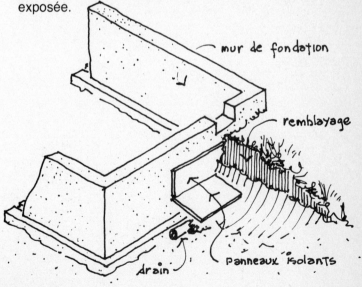

mur de fondation

remblayage

drain

panneaux isolants

On peut remblayer avec de la terre ou isoler le mur et le sol par l'extérieur, tel que montré à la page précédente, avec des panneaux isolants de deux pieds de largeur.

Cette dernière solution — isoler le mur et le sol — permet au peu de chaleur qui se dégage du sous-sol et du sol lui-même de maintenir la température sous la semelle suffisamment élevée pour que le sol ne gèle pas.

## 4. Refaire la fondation

Dans un cas extrême, où le bâtiment est sérieusement compromis, il faut démolir la partie de la fondation mal protégée ou mal déposée sur le sol pour en refaire une autre.

Cette solution implique généralement qu'il faille retenir temporairement la charpente des murs et des planchers, couler une nouvelle fondation et refaire le revêtement extérieur en maçonnerie.

C'est une solution coûteuse, compte tenu du nombre d'opérations énumérées et des conditions de travail difficiles pour les ouvriers. Néanmoins, cette solution est couramment appliquée dans la reconstruction des façades des maisons et des murs des portes cochères.

## Déformation du mur

Il peut arriver qu'un mur de fondation s'écroule vers l'intérieur à cause principalement de poussées latérales du sol qui deviennent importantes en période de gel et aussi à cause de la faiblesse du mur lui-même.

## Solutions

### 1. Drainer le sol

Il faut éviter les gonflements du sol en favorisant un bon drainage des eaux. (Voir les solutions proposées, pages 87 et 88.)

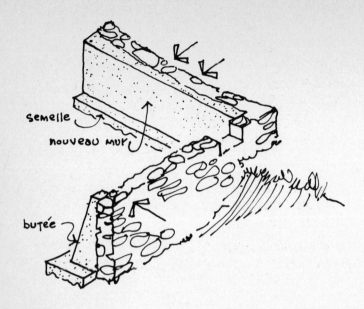

semelle

nouveau mur

butée

## 2. Retenir le mur

Si la déformation du mur est importante, il faut le retenir en coulant soit une semelle et un mur de béton continus, soit des murets (butées) aux endroits les plus touchés par les poussées. Dans les deux cas, il faut prévoir de l'acier d'armature.

## Glissement du bas des murs

Il arrive que les gens creusent leur vide sanitaire pour en faire un sous-sol.

Le plancher se retrouve alors plus bas que le dessous du mur ou de la semelle.

Poussées

enfoncement

À cause des poussées latérales extérieures, les murs glissent vers l'intérieur, le sol s'assèche sous la fondation et se désagrège.

Le glissement s'accompagne alors d'un enfoncement des fondations et crée de sérieux problèmes à la charpente et aux revêtements extérieurs.

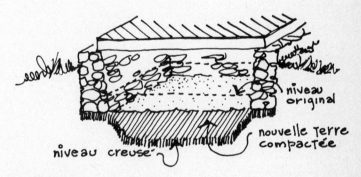

niveau original

nouvelle terre compactée

niveau creusé

## Solutions

### 1. Remplir et compacter

La solution la plus économique consiste à remplir le sous-sol au moins jusqu'au niveau du dessous des semelles ou du bas du mur, et de bien tasser la terre, autant que possible, avec un compactage mécanique.

Cette solution vous fera, dans bien des cas, perdre votre espace mais vous évitera des travaux coûteux.

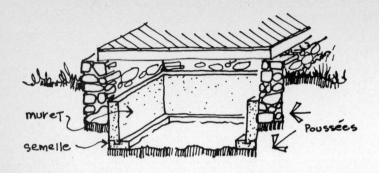

## 2. Murets en béton

Dans le cas où l'on veut absolument conserver l'espace excavé au maximum de la hauteur requise, il est possible, selon la nature du sol, de couler des murets le long de la fondation.

Excaver et couler les murs par étapes pour éviter tout effondrement ou glissement.

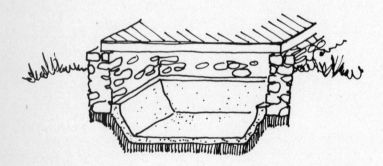

## 3. Dalle continue

Une autre solution, qui vous évite la construction de coffrage à béton, consiste à faire projeter, comme pour une piscine, une dalle de béton sur les murs et le plancher en une seule opération.

Dans les deux cas, il faut prévoir de l'acier d'armature.

96

## Les problèmes et leurs causes

La charpente d'une maison continue à se transformer selon les conditions qu'on lui a créées au moment de la construction ou auxquelles on la soumet par la suite.

**vue d'ensemble**

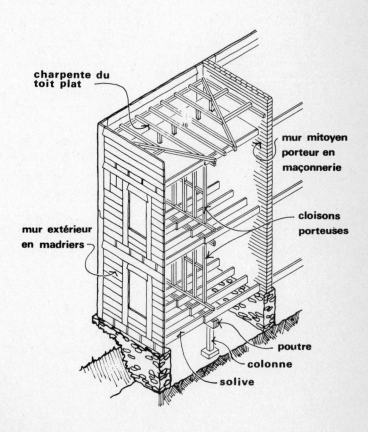

charpente du toit plat

mur mitoyen porteur en maçonnerie

mur extérieur en madriers

cloisons porteuses

poutre

colonne

solive

Deux facteurs principaux contribuent à sa détérioration. D'abord, des conditions d'humidité permanentes qui la font pourrir.

En second lieu, une construction mal conçue, où les principes élémentaires de structure ont été ignorés ou sous-estimés.

Pour vous aider à identifier la cause des problèmes que vous pourriez rencontrer, la liste des conditions énumérées ci-après a été dressée selon les facteurs d'humidité et de structure ci-haut mentionnés.

## Humidité

1. Trop d'humidité emprisonnée au sous-sol.
2. Trop d'eau absorbée par le mur de fondation.
3. Des supports déposés directement sur le sol.
4. Des murs extérieurs mal protégés par la brique.
5. Un mur ou un toit mal ventilé.

## Structure

1. Des planchers appuyés sur deux sortes de murs (bois et maçonnerie).
2. Des cloisons porteuses mal alignées d'un étage à l'autre.
3. Des poids de cloisons porteuses concentrés sur une petite surface de plancher.
4. Des pièces de charpente trop petites.

# Plancher du rez-de-chaussée

## Affaissement de la poutre centrale

Lorsque vous regardez la façade d'une maison et que vous constatez qu'elle s'enfonce vers le centre, vous pouvez vous attendre à ce que la poutre du sous-sol se soit affaisée seule ou avec le mur de fondation.

L'affaissement peut provenir les quatre causes suivantes:

1. L'humidité du mur de fondation a fait pourrir les appuis de la poutre centrale

2. La base des colonnes appuie sur le sol et est pourrie.

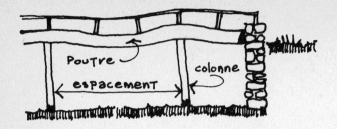

3. Un espacement trop prononcé des colonnes a permis à la poutre de plier.

4. Un système de plomberie défectueux qui mouille la charpente et la fait pourrir.

## Solutions

### 1. Nouveaux appuis

Dans le cas des appuis pourris, il est possible d'y remédier avec de nouveaux supports en béton.

La surface d'appui de la poutre sera traitée avec du goudron ou un préservatif à bois.

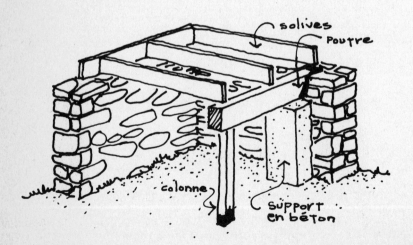

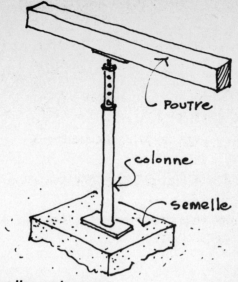

POUTRE

colonne

semelle

## 2. Nouvelles colonnes

Si les colonnes sont trop faibles ou simplement trop espacées, il est facile d'en ajouter d'autres soi-même en achetant des colonnes ajustables en acier que l'on déposera sur une bonne semelle en béton.

Ce sont ces mêmes colonnes qui vous serviront de vérin pour remplacer des colonnes trop pourries à la base.

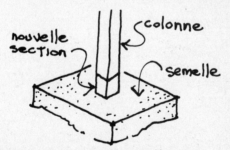

nouvelle section

colonne

semelle

## 3. Remplacer les bases des colonnes

Il est possible d'éviter le remplacement des colonnes existantes en bois en réparant la base de celles-ci.

Il suffit de supporter temporairement la poutre, de couper la partie pourrie, de couler une semelle en béton et d'ajouter une nouvelle section de colonne de la longueur désirée.

## 4. Remplacer les colonnes

Là où les colonnes ne peuvent être réparées, il faut les remplacer par de nouvelles, soit en bois, soit en métal.

Dans les deux cas, il sera important de déposer ces nouvelles colonnes sur des semelles en béton.

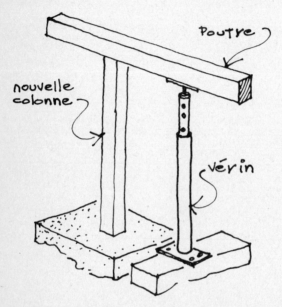

S'il existe un plancher en béton de plus de quatre pouces (102 mm) d'épaisseur, vous pouvez déposer vos nouvelles colonnes sur une plaque d'acier, évitant ainsi de briser la dalle et de construire une nouvelle semelle.

## Affaissement des solives à la fondation

Les solives, appuyées sur un mur de fondation exposé, sont sujettes à pourrir, particulièrement lorsque le mur absorbe facilement l'eau.

C'est généralement le cas des maisons bâties sur un coin de rue ou de ruelle.

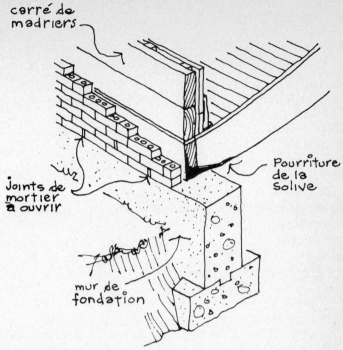

corré de madriers

Joints de mortier à ouvrir

mur de fondation

Pourriture de la solive

On découvre cette dégradation soit par le sous-sol, en relevant le degré de pourrissement des solives, soit par le rez-de-chaussée où, généralement, le plancher est alors détaché de la plinthe.

## Solutions

### 1. Ventiler

Une première solution consiste à drainer et à ventiler l'espace derrière la brique en défonçant les joints de mortier verticaux à toutes les trois briques sur les deux rangs inférieurs.

Il faut aussi ventiler le vide sanitaire.

### 2. Drainer

Il se peut que le sol soit trop chargé d'eau et qu'il maintienne le mur de fondation constamment humide. Dans ce cas, il faut assurer un bon drainage du sol. (Voir pages 87 et 88.)

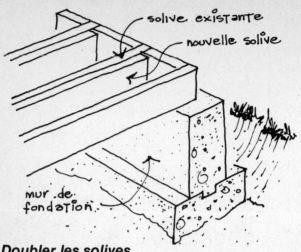

solive existante

nouvelle solive

mur de fondation

### 3. Doubler les solives

Si peu de solives sont affectées, on les double en accollant une nouvelle solive à l'ancienne.

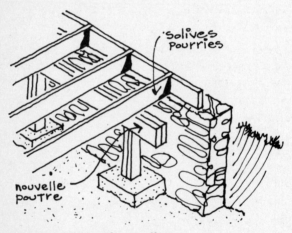

solives pourries

nouvelle poutre

### 4. Supporter toutes les solives

Si la majorité des solives sont affectées et qu'il y ait eu affaissement du plancher, il faut alors supporter toutes les solives.

Elles peuvent être supportées par une poutre continue et des colonnes ou par un muret en 2 x 4 déposé sur une semelle en blocs de béton ou en béton coulé.

# Pourrissement des solives

Plusieurs vides sanitaires sont très petits, à peine assez hauts pour qu'une personne puisse s'y faufiler.

Pour y faire des travaux de plomberie, on a dû creuser des tranchées et ainsi rejeter la terre de chaque côté, enterrant plusieurs solives et parfois même la poutre.

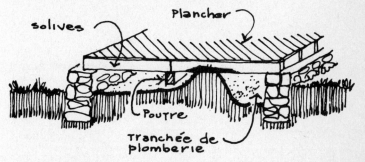

Ces espaces étant mal ventilés, les parties de solives enterrées ont pourri.

Il y a aussi les trous percés pour la tuyauterie, ainsi que les fuites d'eau qui affectent presque toujours la charpente des planchers des salles de bains.

## Solutions

### 1. Ventiler

Libérer toute les solives et la section de poutres enterrées, suffisamment pour que l'air puisse facilement circuler autour de ces éléments de charpente.

Ventiler au maximum pour enlever le plus d'humidité possible.

### 2. Remplacer les solives

Les solives pourries, dans le cas de travaux mineurs, sont simplement doublées (voir page 104). Autrement, remplacer tous les éléments de charpente pourris. Dans certains cas, cela supposera la réfection des sections de plancher, particulièrement dans les salles de bains.

## Solives mal déposées sur la poutre

Il arrive que les solives soient à peine retenues par la poutre centrale. Il y a alors risque que le plancher ne s'effondre.

Deux principales causes sont à la source de ce problème.

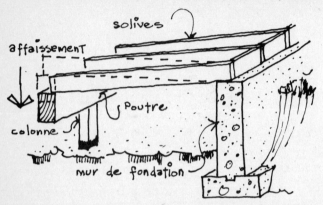

1.  La poutre centrale s'est affaissée et a fait pivoter les solives bien appuyées sur le mur de fondation en béton.

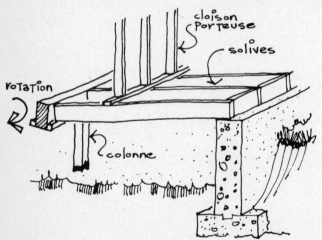

2.  Le mur porteur n'est pas aligné sur la poutre centrale et le poids l'a fait pivoter.

Les solives sont alors bien appuyées sur un côté, mais risquent de tomber de l'autre côté de la poutre.

## Solutions

### 1. Élargir la poutre

Dans le cas d'un affaissement, il faut d'abord renforcer les colonnes et leur appui, puis, élargir la poutre avec des 2 x 3 cloués de chaque côté.

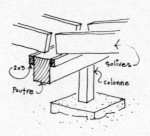

### 2. Remonter la poutre

Si l'on envisage des travaux majeurs de rénovation impliquant la reconstruction complète des finis de plâtre, il serait alors souhaitable qu'au lieu d'élargir la poutre elle soit remontée à sa place.

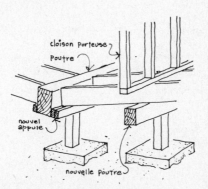

### 3. Installer une nouvelle poutre

Dans le cas d'un pivotement causé par un mur porteur qui n'arrive pas au-dessus de la poutre, installer une nouvelle poutre vis-à-vis du mur porteur, tel que montré ici.

# Planchers en pente

## Les problèmes et leurs causes

La majorité des anciennes maisons ont des planchers en pente. Cette dénivellation, inclinant souvent vers le centre de la maison, est normalement plus prononcée au dernier étage qu'au rez-de-chaussée.

Le problème peut s'expliquer par les phénomènes suivants:

1. La poutre centrale du sous-sol s'est affaissée et a entraîné toutes les cloisons porteuses sur lesquelles reposent les planchers.

2. Le bois des cloisons porteuses a séché et rapetissé, et les solives ont ainsi baissé alors qu'elles n'ont pas bougé du côté des murs mitoyens en maçonnerie.

3. L'appui des solives s'est écrasé sur la cloison porteuse.

4. La fondation s'est enfoncée sur un seul côté.

5. Les cloisons porteuses de chacun des étages ne sont pas les unes au-dessus des autres et font plier les solives des planchers, tel que montré ci-dessous.

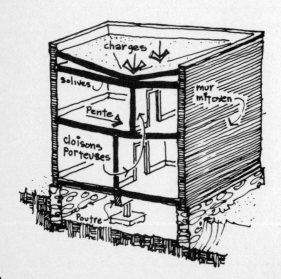

## Solutions

### 1. Vivre avec

Vous pouvez décider de conserver vos planchers tels quels, car si vous n'envisagez pas une rénovation majeure, à partir de la charpente dégarnie, niveler des planchers peut être une opération coûteuse.

Elle implique, dans le cas de fortes pentes, qu'il faille relever les plinthes, couper les cadres des portes et les portes, relocaliser la quincaillerie et, peut-être, perdre de bons planchers de bois franc.

### 2. Niveler les faibles pentes

Si la pente est faible et que les finis des planchers soient à refaire, niveler avec des 1 x 2 à tous les douze pouces (305 mm) et des coins de cèdre. Couvrir d'un contre-plaqué bouveté de cinq-huitième de pouce (16 mm) d'épaisseur.

Ce léger nivellement n'oblige pas à relever les plinthes et à déplacer les poignées des portes.

Seuls les quarts-de-rond sont relevés.

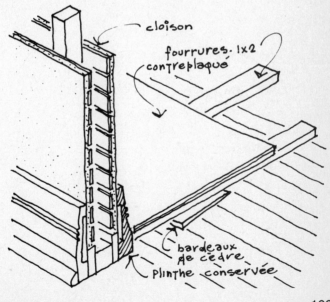

cloison

fourrures. 1x2
contreplaqué

bardeaux
de cèdre
plinthe conservée

## 3. *Niveler les fortes pentes*

Dans le cas où la charpente de la maison ne peut être relevée à cause du plâtre encore en bon état, niveler avec des 2 x 3 ou 2 x 4 découpés en biseau et fixés à tous les douze pouces (305 mm). Couvrir d'un contre-plaqué bouveté de cinq-huitième de pouce (16 mm) d'épaisseur.

Cette méthode oblige à déplacer les plinthes et à remplacer les portes, particulièrement les portes du logement du dernier étage où les affaissements peuvent atteindre jusqu'à six pouces (152 mm) au centre de la maison.

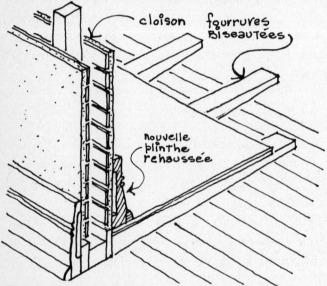

## 4. *Relever la charpente*

Dans le cas d'une rénovation majeure, où les finis de plâtre sont complètement refaits, certaines charpentes peuvent être relevées à l'aide de vérins (*jack*).

Cette intervention est risquée, car les solives des planchers, en remontant, exercent une pression sur les murs extérieurs au lieu de glisser pour reprendre leur place dans le mur.

On peut se permettre plus facilement d'envisager cette solution lorsqu'il s'agit d'une maison construite entre deux murs mitoyens, pourvu que les solives reposent sur ces murs.

# Planchers qui craquent

## Les problèmes et leurs causes

Plusieurs causes peuvent être responsables du craquement des surfaces de planchers.

C'est principalement le frottement des pièces de bois les unes sur les autres qui produit ce bruit.

Ce frottement survient en raison du fléchissement, soit d'une pièce de charpente, soit d'une planche du plancher.

Soit par séchage, soit par déformation, il se crée des vides entre deux surfaces de plancher, entre une solive et la poutre centrale, ou encore entre le faux plancher et certaines solives.

## Solutions

### 1. Combler les vides

Avec des bardeaux il est possible de combler les vides entre les solives et la poutre ou entre le faux plancher et les solives.

Cette méthode n'est évidemment applicable qu'au sous-sol, à moins que tous les étages du bâtiment soient dégarnis en vue de travaux majeurs de rénovation.

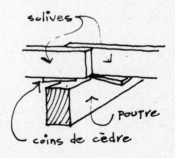

## 2. *Visser les parquets par en-dessous*

Pour arrêter le craquement causé par le retrait du parquet de bois franc, il suffit de visser le parquet avec des vis à bois à tête ronde, par en-dessous, au travers du faux plancher, généralement de bois mou. Il faut alors prévoir une rondelle de métal (washer) afin que la tête de la vis ne s'enfonce pas dans le bois mou. La rondelle permet aussi de contrôler la profondeur de l'enfoncement de la vis dans le parquet de bois franc qui ne doit pas être de plus de $5/8$ de l'épaisseur totale du bois franc.

# Enfoncement des planchers

## Les problèmes et leurs causes

À cause des portes percées dans les cloisons porteuses, il s'ensuit que tout le poids se concentre sur de petites surfaces de plancher.

Il arrive fréquemment que ces surfaces de plancher tombent entre deux solives et reposent sur seulement de la planche, qui s'enfonce alors.

La cloison porteuse descend à cet endroit et les cadres des portes gauchissent.

Le problème peut devenir sérieux au rez-de-chaussée où s'accumule le poids de tous les étages.

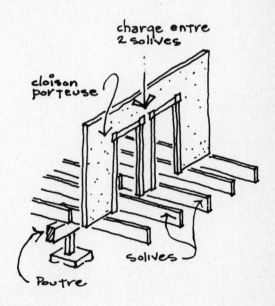

## Solution

### *Supporter le plancher*

Il suffit de supporter la planche du plancher, sous la cloison porteuse, avec un support en bois déposé sur des blocs de béton ou une semelle coulée au sous-sol.

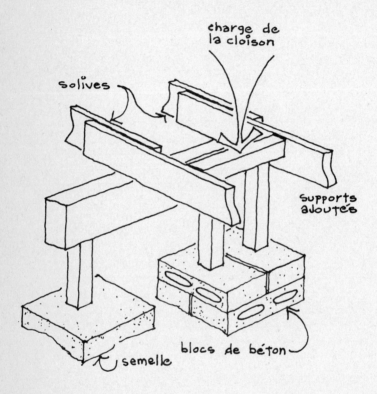

charge de la cloison

solives

supports ajoutés

semelle

blocs de béton

114

# Solives des balcons pourries

## Les problèmes et leurs causes

À cause du mauvais entretien des surfaces des balcons, en particulier du joint de scellement entre le mur de brique et la surface du bois, les solives pourrissent à la sortie du mur et sur le dessus.

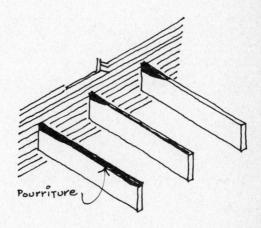

Pourriture

## Solutions possibles

### 1. Doubler les solives

Si les solives ne sont pas trop affectées, couper la partie pourrie sur toute la longueur de la solive, traiter la partie saine avec un préservatif à bois et fixer une nouvelle solive à l'ancienne.

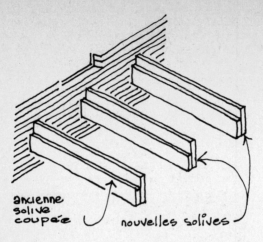

ancienne
solive
coupée          nouvelles solives

C'est la méthode la plus économique, car elle évite de défaire le plâtre des plafonds, à l'intérieur des logements, pour aller clouer de nouvelles solives jusqu'à l'intérieur.

Cette solution vaut, bien sûr, quand les solives coupées sont encore suffisamment solides (environ $^2/_3$ de la solive).

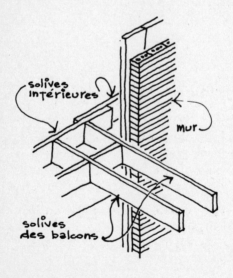

solives
intérieures

mur

solives
des balcons

## 2. Remplacer les solives

Deux méthodes peuvent être considérées.

La première est coûteuse et mérite d'être appliquée seulement dans les cas de rénovation majeure.

116

Elle consiste à briser le plâtre d'une partie des plafonds pour enlever et remplacer les solives allant de l'extérieur à l'intérieur des logements.

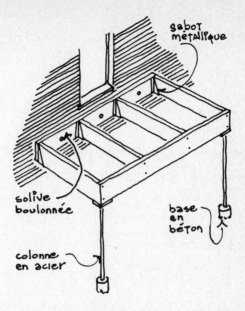

La seconde méthode, moins coûteuse, consiste d'abord à couper les solives pourries tout près du mur de brique, à boulonner une solive nouvelle sur le mur à l'aide de tire-fonds et de douilles à travers les joints de brique jusqu'au carré de madriers, puis à fixer les nouvelles solives, l'une de leurs extrémités avec des sabots métalliques et, à l'autre extrémité de les faire reposer sur des colonnes en acier.

Ces colonnes reposent, au rez-de-chaussée, sur des bases en béton enfouies à 4′6″ sous le sol. Tout le travail se fait par l'extérieur, sans avoir à démolir de plâtre.

# Surfaces des balcons pourries

## Les problèmes et leurs causes

L'eau réussit à s'infiltrer dans les joints des planches, y demeure emprisonnée, fait pourrir la planche et, par la suite, la charpente.

## Solutions

### 1. Traiter le bois

Bien préparer les planches avec un préservatif à bois ou une couche de peinture avant la pose... puis un entretien soutenu des surfaces avec une bonne peinture, voilà deux procédés efficaces pour prolonger la vie de vos balcons.

### 2. Réduire les joints

On peut réduire le nombre de joints à entretenir en remplaçant la planche par des panneaux de contre-plaqué.

Dans ce cas, il faut acheter un bon contre-plaqué, fabriqué pour usage extérieur et le traiter avec une peinture ou un préservatif à bois, sur toutes ses faces, avant de le poser.

On recouvre les joints entre les panneaux d'un ruban de fibre de verre ou on les remplit avec un produit de scellement.

### 3. Poser un produit de scellement

Une fois le balcon terminé, il est important de sceller le joint qui se trouve entre la brique et la surface du balcon.

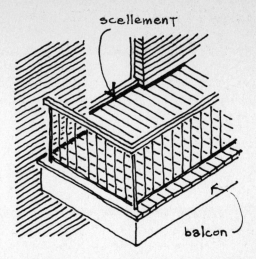

scellement

balcon

C'est par là que l'eau s'infiltre au point de faire pourrir les solives et d'entraîner leur remplacement.

Utiliser une pâte en cartouche de bonne qualité, car les joints horizontaux se détériorent très rapidement.

## 4. Ventiler

Il faut éviter que l'humidité reste enfermée entre le plancher et le plafond des balcons.

Si vous avez des plafonds en belles petites planches, percez des petits trous entre les solives, en avant et en arrière du balcon, pour que l'air circule autour de la charpente.

Si vous refaites vos plafonds, utilisez un matériau qui assure une bonne ventilation et qui n'absorbe pas trop l'eau. Recouvez-le ensuite d'une peinture au latex à base d'acétate de polyvinyle.

# Les escaliers détériorés

Les escaliers sont considérés comme des issues en cas de sinistres pour les occupants des logements. Aussi, est-il important de bien les entretenir, de les remplacer au besoin.

La rouille et l'usure des marches, tels sont les principaux problèmes que présentent les escaliers métalliques.

## Recommandations

Toujours enlever la rouille avec une brosse d'acier avant de repeindre les limons et les mains courantes.

Appliquer une seule couche de peinture sur la couche de fond du métal.

Faire reposer l'escalier sur une dernière marche en béton.

Remplacer les limons endommagés.

Appliquer une peinture antidérapante à base d'époxie sur les marches en bois, et, pour l'hiver, un tapis.

Construire les balustrades avec des poteaux verticaux, c'est plus sécuritaire pour les enfants.

# Murs en madriers pourris

Ce problème est généralement perceptible de l'extérieur, par la détérioration de la maçonnerie.

De plus, les solutions sont applicables dans la mesure où des travaux de maçonnerie sont envisagés.

Comme, généralement, les solutions proposées s'appliquent à la maçonnerie, nous avons cru bon, pour ne pas nous répéter, d'étudier ce problème dans la partie traitant de l'enveloppe du bâtiment.

# L'ENVELOPPE

## *Revêtements extérieurs*

### Les problèmes et leurs causes

Les revêtements extérieurs subissent, avec les années, des détériorations normales dues à notre climat, aux variations extrêmes de températures ainsi qu'aux effets répétés du mouillage et du séchage.

Dans ces conditions, les matériaux poreux comme la brique, la pierre et le béton sont sujets à l'effritement s'ils absorbent et conservent trop facilement l'eau. Le gel fait gonfler l'eau et le matériau éclate progressivement. C'est le cas des murs de brique de mauvaise qualité.

Le mouillage et le séchage répétés causés par l'alternance de la pluie et du soleil font pourrir le bois et rouiller les métaux laissés sans protection suffisante.

Les changements de température font tantôt rapetisser et tantôt allonger les matériaux et fissurer, par le fait même, les plus fragiles d'entre eux.

En conséquence, les problèmes d'enveloppe traités dans les pages qui suivent sont généralement causés par:

1. Un matériau trop poreux qui absorbe l'eau sans l'éliminer.

2. Un matériau mal ventilé qui conserve son humidité.

3. Un matériau mal protégé contre la pluie et le soleil.

4. Un matériau incapable de supporter de gros changements de température.

# Un toit qui coule

L'eau qui coule à travers le toit peut provenir de quatre sources différentes:

- Un drain bouché par des feuilles ou une balle.
- Une membrane percée qui en détruit l'étanchéité.
- Des contre-solins rouillés et perforés.
- L'humidité qui se condense dans l'entretoit.

## Solutions

### 1. Déboucher le drain

Si le grillage (crapaudine) existe, le nettoyer, enlever les feuilles qui l'obstruent.

S'il n'y a pas de grillage, il faut débloquer le drain avec une broche spéciale appelée « fichoir » et reposer le grillage.

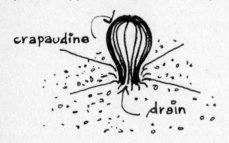

### 2. Réparer la membrane (l'étanchéité)

En règle générale, une membrane qui n'est pas très vieille (sept à dix ans), qui a encore son gravier et ne présente pas de faiblesses généralisées (usure du papier, mousse verte, boursouflure du papier, goudron fissuré) peut simplement être réparée à l'endroit endommagé.

Le couvreur nettoie la surface avariée, étend une épaisse couche de goudron ou d'asphalte et recouvre de nouveau gravier.

Dans certains cas, il sera nécessaire d'enlever la partie de papier endommagé et de refaire une nouvelle membrane à cet endroit.

## 3. Redonner à la toiture son étanchéité

Il existe plusieurs méthodes pour refaire la membrane. Aussi faut-il faire préciser laquelle votre couvreur compte appliquer pour le prix qu'il vous propose.

Une *première méthode* consiste à poser une nouvelle membrane par-dessus celle qui existe déjà, après l'avoir libérée de son gravier et soigneusement nettoyée.

Dans ce cas, la membrane se compose uniquement de trois plis de papier, de bitume (asphalte ou goudron) et de gravier.

Ce procédé est très acceptable et c'est le plus répandu à Montréal. C'est aussi le moins coûteux.

Une *seconde méthode* consiste à arracher toutes les vieilles membranes, à gratter et à réparer la surface en bois et à refaire une nouvelle membrane.

Dans ce cas, la membrane se compose de quatre plis de papier, de bitume et de gravier.

Cette méthode s'impose dans les cas où l'eau et le mauvais entretien ont affecté les planches du toit.

*Note:* Dans les deux cas, vérifiez si les éléments de tôle, comme les contre-solins, les cols-de-cygne et les boîtes d'évents sont suffisamment rouillés et pourris pour être remplacés.

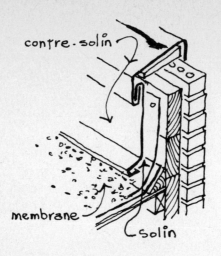

contre-solin

membrane

solin

## 4. Remplacer les contre-solins

Il se peut que votre membrane soit encore bonne mais que seuls vos contre-solins soient pourris et percés.

L'eau s'infiltre alors dans les murs extérieurs et la toiture.

Dans ce cas, il faut, temporairement, boucher les trous avec un produit de scellement (goudron pâteux) et envisager que, à court terme, vous aurez à remplacer les contre-solins.

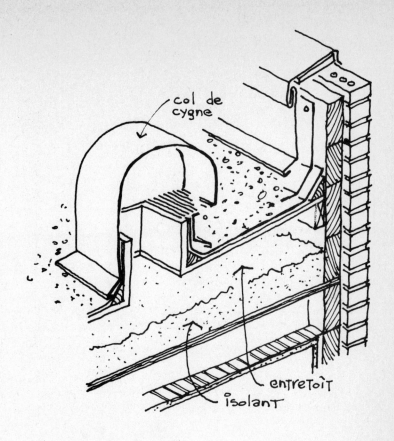

col de
cygne

entretoìt

isolant

## 5. Ventiler l'entretoit

Si vous avez fait isoler votre toit sans avoir prévu une ventilation de l'entretoit, il se peut que vous ayez des problèmes
d'eau.

L'humidité du logement se condense au contact de l'air
froid de l'entretoit avant même d'avoir pu s'échapper. Cette
eau retombe dans l'isolant et s'infiltre à travers le plâtre du
plafond.

Dans ce cas, il faut percer des trous de ventilation dans le
toit et installer des cols de cygne.

Il est recommandé de calculer la pose d'un col de cygne par
300 pieds carrés (28 mètres carrés) de surface de toit.

# Maçonnerie détériorée

## Les problèmes et leurs causes

Les surfaces de brique ou de pierre se détériorent pour l'une ou plusieurs des raisons suivantes:

1. La maçonnerie se détache de la charpente en bois et bombe.

2. La fondation bouge, ce qui entraîne des fissures dans les murs de maçonnerie.

3. Les murs de maçonnerie absorbent trop d'eau, et l'effet de gel et de dégel amène l'effritement des surfaces et des joints.

4. Les murs en madriers ne sont plus assez rigides pour bien retenir la maçonnerie, et la brique se détache.

5. La maçonnerie est enterrée et a pourri en bas du mur.


# Murs de brique bombés

Si un mur bombe et que la brique se détache de la charpente en bois, on peut trouver plusieurs causes responsables de cette défectuosité.

En voici quelques-unes:

1. Il n'y a pas de papier goudronné derrière la brique pour protéger le mur en madriers qui pourrit. Alors les clous retenant la brique au bois se détachent.

2. Les murs en madriers ne sont plus suffisamment retenus par les cloisons intérieures à cause d'un trop grand décloisonnement des espaces.

3. Le mur en madrier est trop haut pour être stable (les cages d'escaliers) il ouvre alors vers l'extérieur et entraîne la brique.

4. La maçonnerie absorbe beaucoup d'eau et ne la laisse pas s'évacuer par le bas du mur. L'eau fait alors pourrir le bas du mur en carré de madriers qui s'affaise.

Cet affaissement de la charpente fait alors tomber le bas du mur de maçonnerie.

## Solutions

### 1. Reprendre les surfaces bombées

Si peu de surfaces se détachent de la charpente, faire reprendre uniquement celles-ci, surtout si c'est une surface supérieure de mur qui évite de supporter temporairement la brique.

Profiter de ces travaux pour évaluer l'état du mur en bois.

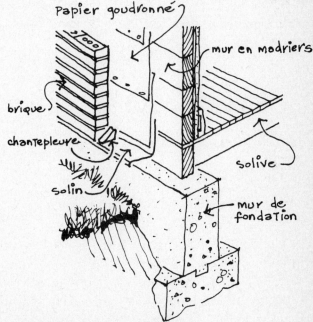

### 2. Refaire tout le mur de brique

Si le gonflement du mur est si important qu'il semble affecter tous les étages, il faut refaire le mur au complet.

On devra alors démolir le mur de brique, remplacer les madriers pourris au bas du mur, installer un papier goudronné sur toute la surface et solidifier le mur si nécessaire.

Puis on refera le mur de brique en installant des chantepleures à tous les trois joints verticaux du premier rang de brique.

En plus des chantepleures, on installera un solin (papier spécial) tel que montré ci-dessous.

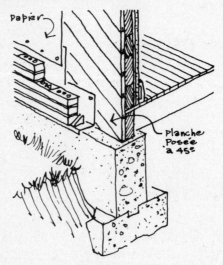

### 3. Réparer le mur en madriers

C'est en démolissant le vieux mur de brique que l'on peut constater l'état du mur en madriers.

S'il n'y avait pas de papier goudronné protecteur, il se peut que la surface du mur soit suffisamment pourrie pour ne plus retenir les attaches de brique (les clous et les feuillards).

Dans ces conditions, il faut, avant de refaire le mur en brique, traiter le mur en madriers au préservatif et le recouvrir d'une planche à 45 degrés. La brique sera alors avancée pour déborder la face du mur de fondation afin de toujours laisser un espace d'air entre la nouvelle brique et la face de la planche (environ un pouce — 25 mm)

# Murs de brique fissurés

Les fissures dans les murs de brique sont généralement dues à un déplacement quelconque de la fondation. Ces déplacements sont créés soit par le gel et le dégel, soit par un affaissement du sol.

## Solutions

Il faut d'abord stopper ces déplacements de la fondation (voir pages 90 et suivantes).

Vous avez alors le choix de reprendre tout le mur de brique (voir la page 127) ou simplement de faire reprendre les joints de mortier fissurés. Si cette dernière solution suffit, assurez-vous de creuser les joints sur une profondeur d'au moins un demi-pouce (12 mm).

# Brique détériorée par l'eau

Certaines briques sont facilement affectées par l'eau. Ce sont celles qui absorbent trop d'eau et ne la rejettent pas assez vite.

L'effet de gel et de dégel fait alors s'effriter la surface des briques et des joints en plus, bien sûr, d'affecter le mur en carrés de madriers derrière la brique.

## Solutions possibles

### 1. Peinturer la brique

La solution la plus économique consiste à peindre le mur de brique mais, attention!

Si vous appliquez une peinture étanche à l'eau et à l'air, vous risquez d'emprisonner l'humidité des logements derrière la brique et de faire pourrir le mur en carré de madriers.

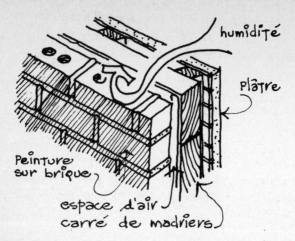

humidité

plâtre

Peinture sur brique

espace d'air

carré de madriers

De plus, après quelques mois, la peinture s'écaille et le travail est à reprendre.

Il faut donc utiliser une peinture au latex à base d'acétate de polyvinyle qui permet au mur de brique de respirer.

## 2. *Reprendre les joints*

Le vieux mortier avait l'avantage d'être souple, mais était aussi très friable.

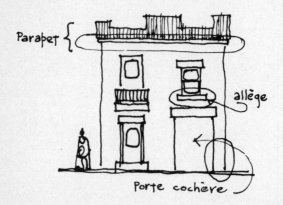

Parapet

allège

Porte cochère

Particulièrement sous les allèges des fenêtres, au parapet du toit, au-dessus des portes cochères ainsi que près de la cheminée, les joints s'effritent sous l'effet de l'eau et des variations de température à ces endroits.

130

Si la brique est encore en bon état, il sera nécessaire de reprendre les joints détériorés, particulièrement aux endroits susceptibles d'être davantage endommagés.

On gratte le mortier des joints sur une profondeur minimale de $3/8$ de pouce (9 mm) et on le remplace par un nouveau mortier à maçonnerie.

fer rond

Les surfaces des nouveaux joints sont préférablement polies au fer rond, ce qui évite que l'eau et la neige ne s'accrochent à la brique.

### 3. Couvrir le mur

Si votre budget ne vous permet pas de refaire le mur de maçonnerie et que ce mur ne soit pas exposé à des chocs ou des jeux de « balle au mur », vous pouvez envisager simplement de couvrir la brique.

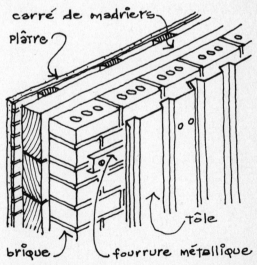

carré de madriers
plâtre
tôle
brique
fourrure métallique

Une *première méthode* consiste à recouvrir la surface du mur d'une tôle nervurée et prépeinte. La tôle est retenue au mur par des fourrures (baguettes) horizontales vissées dans les joints de mortier des briques.

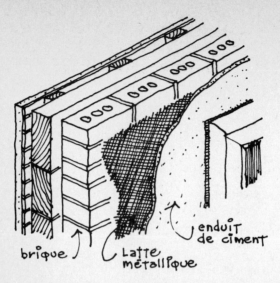

enduit
de ciment

brique

Latte
métallique

Une *seconde méthode* consiste à fixer une latte métallique « galvanisée » à la brique et d'appliquer un mortier en trois couches.

La dernière couche peut être préparée avec un ciment blanc.

Dans cette méthode, la latte métallique est très importante pour assurer une attache permanente du mortier à la brique.

132

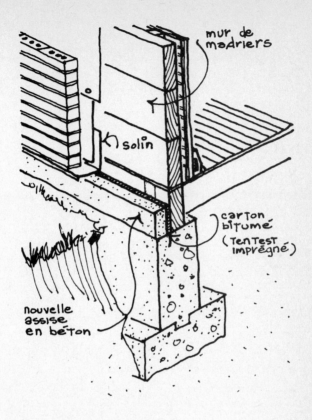

mur de madriers

solin

carton bitumé (TenTest imprégné)

nouvelle assise en béton

## 4. Rehausser l'assise du mur

Si le dessus du mur de fondation est plus bas que le terrain environnant et que la brique se trouve enterrée, il faut, si le mur de brique est refait, hausser l'assise de la brique.

Avant de procéder, remplacer les pièces de madrier normalement affectées par ces conditions.

Tel que montré, installer un carton goudronné continu avant de couler une nouvelle assise de béton.

Procéder selon les recommandations (pages 83 et suivantes) pour refaire le mur de maçonnerie qui s'appuiera sur cette nouvelle assise.

## 5. Sceller les joints

La brique est souvent affectée par l'eau qui s'infiltre dans les joints entre le mur et les allèges, entre le mur et les cadres des fenêtres ou encore entre le mur et les contre-solins du toit.

Il est fortement recommandé de rendre étanches tous ces joints avec un produit de scellement approprié. Dans le cas des joints fortement exposés à l'eau (joints horizontaux), on recommande un produit à base de silicone. Dans les autres cas, un produit à base d'acrylique suffit.

# Les pertes de chaleur

## Les problèmes et leurs causes

À part les maisons situées sur un coin de rue ou de ruelle, les vieilles maisons en rangée de Montréal sont relativement faciles à chauffer.

Cependant, le coût du combustible augmentant, il devient important de réduire les pertes de chaleur.

Ces pertes sont principalement causées par:

1. Un mauvais entretien des portes et des fenêtres qui permettent une infiltration trop importante d'air froid.

2. Une quantité très importante de murs exposés aux vents de tempêtes.

3. Une résistance trop faible des murs, des planchers et du toit aux variations de température.

Dans les pages qui suivent, nous traitons principalement de quelques méthodes pour augmenter la résistance au froid des murs, des planchers et des toits. Ce qui concerne les portes et les fenêtres sera traité dans un chapitre à part.

## Les murs

La résistance d'un mur extérieur aux variations de température dépend de la nature de ses matériaux.

Le mur en madriers recouvert de plâtre et de brique a une résistance « R » de 7.6 alors qu'une laine de verre de six pouces (152 mm) a une résistance de 20.

Les normes actuelles recommandent une résistance de 12 à 20.

La meilleure façon d'atteindre cette norme pour les vieilles maisons à Montréal est de poser l'isolant par l'intérieur. Il faut alors refaire tous les finis intérieurs des murs isolés et poser de nouvelles moulures.

On peut isoler par-dessus le plâtre existant ou enlever le plâtre et poser l'isolant directement sur la charpente de madriers.

Afin de préserver le cachet intérieur des anciens logements, on suggère d'enlever les plinthes ainsi que les moulures autour des fenêtres et de les refixer après la pose de l'iso-lant et du gypse. Cependant, ce travail peut être assez coû-teux si vous le faites exécuter par un entrepreneur. Mieux vaut le faire vous-même.

Ex.: Mur avant isolation: R =  7.6
      Mur après isolation:    7.6
                              6.0   (2 pouces (51 mm) de laine de verre à R-3 par pouce).
                              0.45  (finition en placo-plâtre).
                              _____
                              R = 14.05

## Quels murs faut-il isoler?

Il est bon d'isoler tous les murs qui sont exposés à l'extérieur. Cependant, lorsqu'on a un budget réduit, il faut procéder par priorités.

Premièrement, le mur du nord est le mur le plus important
à isoler, étant le plus exposé aux vents et au froid.

Deuxièmement, il est inutile d'isoler les murs où la surface
vitrée est plus grande que la surface du mur à moins que
vous n'ayez à refaire tous les finis intérieurs et les boiseries.

Troisièmement, il est moins important d'isoler les murs qui
sont à l'abri des vents, comme dans le cas d'une cour intérieure.

Il faut donc retenir, comme principe, qu'une maison bâtie
sur un coin de rue (exposée sur trois faces) coûte plus cher
à isoler qu'une maison coincée entre deux bâtiments.

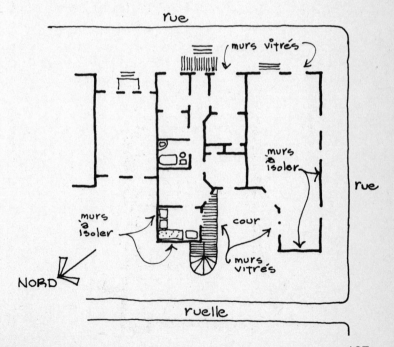

# Les méthodes d'isolation

## 1. Une laine de verre

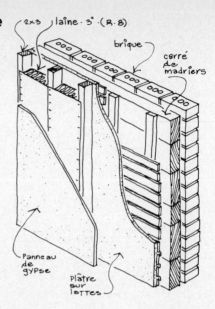

Une *première méthode* consiste à appliquer, directement sur les surfaces de plâtre, une charpente de mur en 2 x 3 fixée au plafond et au plancher.

Dans cette nouvelle épaisseur de mur, on insère une laine de verre de trois pouces (76 mm) qui est brochée aux montants.

On recommande de poser un coupe-vapeur imperméable avant de couvrir le nouveau mur avec des panneaux de gypse de un demi-pouce (12 mm)

Pour ce faire, on pourra enlever les anciennes boiseries et les reposer par la suite. C'est néanmoins une opération délicate qui demande beaucoup de soins.

La résistance thermique du mur est alors de 15.57.

## 2. Une laine de verre

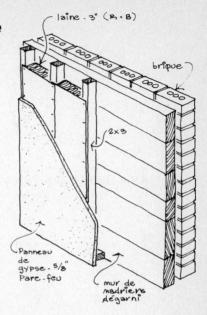

laine - 3" (R·8)

brique

2x3

Panneau
de
gypse - 5/8"
Pare-feu

mur de
madriers
dégarni

Une *seconde méthode,* appliquée lors d'un dégarnissage complet des murs, consiste à fixer directement sur le mur en madriers des 2 x 3 à seize pouces (460 mm) de centre à centre.

Comme dans la première méthode, ce nouveau mur est rempli avec une laine de verre en matelas de trois pouces (72 mm) d'épaisseur brochée aux montants.

Le mur est, par la suite, recouvert d'un coupe-vapeur et de panneaux de gypse de $^5/_8$ de pouce (16 mm) d'épaisseur traité pour une plus grande résistance au feu.

Toutes ces méthodes d'isolation par l'intérieur ont l'inconvénient de détruire le caractère des vieilles maisons en cachant ou en détruisant les moulures de plâtre ou les boiseries.

C'est pourquoi nous recommandons de bien évaluer la valeur et le cachet des surfaces que vous décidez d'isoler.

Dans ce cas-ci la résistance thermique du mur est de 14.32

### 3. Un polystyrène

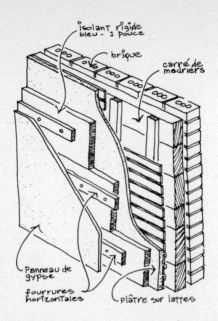

isolant rigide
bleu - 1 pouce

brique

carré de
madriers

Panneau de
gypse

fourrures
horizontales

plâtre sur lattes

Une méthode relativement rapide consiste à recouvrir les surfaces de plâtre d'un panneau isolant rigide.

Le polystyrène moulé ayant une résistance élevée par rapport à son épaisseur (R = 5 par pouce), est collé au mur. Les panneaux sont aussi collés entre eux afin de rendre les joints étanches.

Une fourrure horizontale de 1 x 3 est clouée sur l'isolant à l'aide de clous de quatre pouces (102 mm) qui rejoignent le carré de madriers.

Les panneaux de gypse sont vissés à ces fourrures, créant ainsi un autre espace d'air isolant et un lieu idéal pour installer de nouvelles conduites électriques.

La résistance thermique de ce mur est de 13.52

## 4. Un polystyrène par l'extérieur

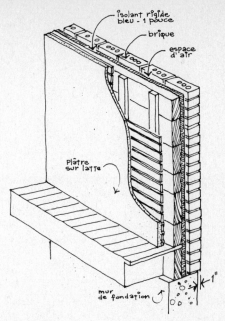

isolant rigide bleu - 1 pouce

brique

espace d'air

plâtre sur latte

mur de fondation ↲ ↙ ⊢1"

L'isolation par l'extérieur offre l'avantage d'isoler autant les murs que les surfaces exposées des planchers.

De plus, toute la charpente est maintenue au chaud.

Par contre, cette méthode ne s'applique que dans le cas où on refait la maçonnerie.

L'isolant est collé ou projeté sur le mur en madriers et sert de protection contre l'humidité provenant de la brique.

Le nouveau mur de brique est alors avancé de un pouce (25 mm) de la face du mur de fondation pour assurer la présence de l'espace d'air entre la brique et le mur.

La résistance thermique obtenue par cette méthode est de: 12.12

D'autres méthodes par injection sont possibles, mais nous émettons des réserves sur les conséquences à remplir l'espace d'air et des pressions que ces produits exercent sur la maçonnerie lors de la pose.

# Isolation

## Le toit

Norme d'isolation à atteintre:

R = 28 à 33

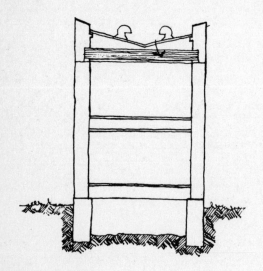

### *Façon de procéder:*

1. Si l'on peut accéder à l'entretoit, on pose de l'isolant en matelas ou en rouleau entre les solives (ce qui est rare à Montréal).

2. Si l'on ne peut y accéder ou s'il n'y a pas suffisamment d'espace pour y travailler, il faudra injecter de l'isolant en vrac dans l'entretoit. Ce travail doit être fait par un entrepreneur.

Ex.: entretoit avec isolation:

R =   3.5
   + 20.   (*)
   _____
R = 23.5

(*) Fibre de verre en vrac d'une épaisseur de six pouces (152 mm).

*Des ouvertures sont pratiquées dans la couverture (ou dans les plafonds) par lesquelles l'ouvrier se faufile pour aller projeter l'isolant.*

## Cave ou vide sanitaire

Norme d'isolation à atteindre:

R = 8

La meilleure façon d'isoler un espace sous terre est de poser l'isolant sur le côté extérieur du mur de fondation. Cette solution implique cependant des travaux coûteux. Il est donc préférable d'isoler de l'intérieur, dans le cas de vieux bâtiments.

Plusieurs éventualités s'offrent alors:

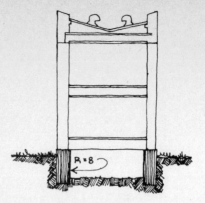

## 1. Laine de verre et montants

On construit, sur le mur de fondation, un mur en montants de 2 x 3, qui vient recevoir l'isolant en matelas.

On ne peut cependant utiliser la laine de verre que si la cave est sèche, car l'humidité détériore la laine de verre.

## 2. Polystyrène moulé (Styrofoam bleu — 1″)

On colle le polystyrène directement sur le mur de fondation.

Le polystyrène a l'avantage de résister à l'humidité.

Il présente cependant certains inconvénients: d'abord, il faut le recouvrir d'un matériau incombustible, ensuite, il est presque impossible de le coller sur un mur de pierre très inégal.

## 3. Polyuréthane injecté

Le polyuréthane est projeté directement sur la surface du mur.

On l'utilise surtout sur des surfaces inégales (mur en pierre) et propices à l'infiltration. Cependant, ce matériel très inflammable doit être recouvert d'un panneau d'amiante ou d'un autre produit ignifuge approuvé.

Il semble toutefois que les compagnies d'assurance soient de plus en plus réticentes à l'endroit de ce matériau et haussent leur taux sur les maisons isolées avec ce produit.

N.B. — Voir un entrepreneur compétent pour la pose.

# Revêtement intérieur

## Plâtre fissuré

Les fissures sont à évaluer et à régler selon leur prove-
nance.

Elles peuvent être des indices de faiblesses de la structure
de la maison ou simplement normales.

Les quatre principales causes des fissures sont les suivantes:

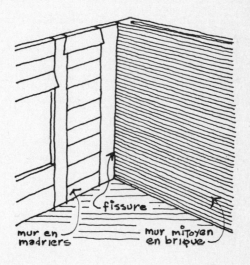

1. La rencontre entre une charpente en bois et un mur mitoyen en maçonnerie (brique ou blocs) lesquels réagis-
   sent différemment aux poids qu'ils reçoivent.

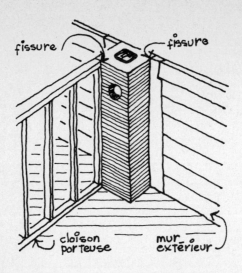

fissure — fissure

cloison porteuse — mur extérieur

2. La rencontre d'une surface chaude de mur et d'une surface froide. C'est le cas des cheminées.

3. Le mouvement des cloisons porteuses et non porteuses. Il est important d'en évaluer la portée avant d'entreprendre des travaux de rénovation.

4. Les surcharges saisonnières de neige sur le toit.

## Solutions

### 1. Dissimuler la fissure

Dans le cas de fissures normales, qui reviennent constamment, les couvrir avec une moulure ou une tapisserie qui obéira aux mouvements.

### 2. Régler le problème de structure

Pour les fissures provenant du mouvement des cloisons porteuses, stabiliser d'abord la structure de la maison, en essayant de trouver la cause de ces mouvements de charpente ou de fondation. (Voir problèmes de charpente et de fondation.)

146

### 3. *Réparer les fissures*

Briser le plâtre de chaque côté de la fissure d'environ quatre pouces (102 mm). Si le fond de mortier est très mou et se détache du mur, il faut briser jusqu'à la latte de bois.

Refaire un fond de mortier sur une latte métallique (genre de treillis) clouée aux lattes de bois ou remplir la fissure ouverte d'un panneau de gypse vissé.

Refaire la surface du mortier ou de gypse en y appliquant une dernière couche mince ($1/8$ de pouce — 3 mm) de plâtre pur.

# Plâtre gonflé

Les mouvements de charpente font plier les lattes de bois retenant le plâtre. Les attaches de plâtre se brisent et la surface se détache lentement du mur.

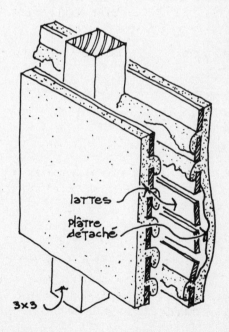

lattes

plâtre détaché

3x3

## Solution

Vérifier d'abord si ces surfaces s'enfoncent en appuyant sur le mur car les très vieux plâtres peuvent bien se déformer sans nécessairement se briser.

Si la surface s'enfonce facilement, la démolir jusqu'à la latte et remplir le trou en y vissant un panneau de gypse.

Utiliser un panneau légèrement plus mince que la surface de plâtre existante car vous devez terminer le travail en appliquant une mince couche de plâtre sur le gypse.

Il est recommandé, avant de démolir la surface gonflée, de retenir le plâtre autour de cette surface avec quelques vis à panneaux de gypse enfoncées dans le plâtre et la latte de bois. Autrement, vous risquez de démolir beaucoup plus grand que la surface gonflée.

# Plâtre très fissuré mais bien attaché

Si vous avez des surfaces de plâtre très fissurées, sans que ces dernières se détachent des lattes de bois, vous avez intérêt à couvrir toutes les surfaces avec du plâtre.

Vous conserverez ainsi toutes vos moulures décoratives et éviterez une démolition désagréable.

## Solution

### La colle

Bien laver les surfaces peintes pour en éliminer toutes les graisses.

Décaper à la vapeur les surfaces de plâtre recouvertes de tapisserie, même si celles-ci ont été peintes, car le travail du plâtrier ne peut vous être garanti sur une telle surface.

Le plâtrier recouvre les fissures d'un ruban de fibre de verre et applique, sur toute la surface du mur, une colle spécialement conçue pour recevoir un plâtre (genre Plaster Bond, Plaster Weld).

Le mur est alors recouvert d'une mince couche de plâtre (de $^1/_8$ à $^1/_4$ de pouce — de 3 à 6 mm) qui nivelle les légères déformations.

Il ne vous reste plus qu'à laisser sécher, à sabler et à peindre à neuf.

# Plâtre pourri

Dans le cas de surfaces de plâtre très détériorées, qui se détachent de la latte de bois, trois solutions sont généralement applicables:

## 1. Dégarnir partiellement

Si vous aimez l'apparence de vos logements et que vous vouliez conserver les moulures de plâtre et les boiseries:

— Libérez de son plâtre la latte de bois en sciant auparavant la surface, juste sous les moulures, pour éviter qu'elles ne s'arrachent.

— Laissez en place les boiseries et les lattes de bois.

— Vissez des panneaux de gypse directement sur la latte en les glissant le mieux que vous pouvez derrière les boiseries et les plinthes.

— Couvrez les vis et les joints avec du plâtre.

C'est une méthode plus longue et plus délicate qu'un dégarnissage complet mais, si vous le faites vous-même, c'est possible et relativement simple.

## 2. Couvrir le vieux plâtre

Si la charpente est solide et qu'il ne soit pas nécessaire de refaire toutes les surfaces et que vous vouliez éviter la démolition:

— Appliquez, directement sur le vieux plâtre, des panneaux de gypse vissés aux lattes de bois et à la charpente des murs.

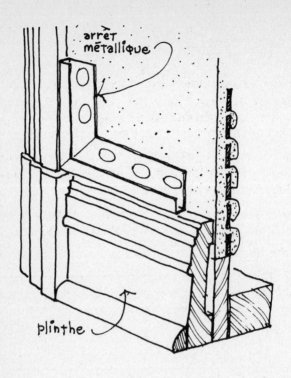

arrêt
métallique

plinthe

— Avant la pose des panneaux, démolir les surfaces trop gonflées.

— Pour éviter des mauvais joints entre les panneaux, les plinthes et les cadrages des portes, installer un arrêt métallique continu qui reçoit les panneaux sur les boiseries.

— Les vis qui passent entre les lattes doivent être enlevées car, autrement, vous les verriez ressortir plus tard.

Il faut retenir que cette méthode surcharge votre maison, particulièrement sous le toit, et qu'elle mérite de s'appliquer quand peu de surfaces sont à refaire ou quand votre charpente est réellement solide.

### 3. Dégarnir complètement

Si seulement la charpente de la maison est récupérable, la solution ultime consiste à tout arracher, autant le plâtre que la latte de bois.

C'est malheureusement trop souvent le cas lorsqu'il s'agit de maisons ayant à être rénovées par un entrepreneur général ou pour répondre à des exigences gouvernementales couvertes par un programme de subventions.

Cette méthode, là où elle s'impose, permet la réfection sans problème des nouveaux services tels que la plomberie, l'électricité et la ventilation.

Elle fournit aussi l'occasion d'isoler les murs et les plafonds contre les pertes de chaleur et contre le bruit.

C'est finalement la solution la moins chère dans le cas où tous les services sont à refaire.

Les panneaux de gypse sont alors directement vissés à la vieille charpente des murs et des plafonds.

# Les portes et les fenêtres

## Les problèmes et leurs causes

Les portes et les fenêtres sont les parties mobiles de l'enveloppe. C'est pourquoi elles contiennent des joints, une quincaillerie et des matériaux relativement légers.

Les principaux problèmes proviennent de ces trois composantes qui sont affectées soit par la pourriture, soit par la déformation de la charpente de la maison.

Pour apprécier vos portes et vos fenêtres actuelles ou pour décider d'en choisir de nouvelles, voici les cinq plus importants points à considérer:

1. La facilité de mouvement des parties mobiles (le poids, le nettoyage).

2. La qualité des joints (taux d'infiltration d'air à la minute).

3. La résistance aux variations de température (valeur R).

4. Le degré de pourrissement et d'entretien.

5. La qualité et la simplicité de la quincaillerie.

Le taux d'infiltration d'air et la résistance « R » sont généralement disponibles chez un vendeur sérieux de portes et fenêtres.

## Porte de bois en mauvais état

### 1. L'ajuster

Si la porte est difficile à manœuvrer et si la charpente de la maison n'a pas bougé, c'est généralement qu'il y a trop de peinture dans le joint ou que la grandeur de ce dernier ne peut absorber un gonflement normal du bois par temps humide.

Dans ces conditions, bien enfoncer les vis des charnières, localiser les endroits où le joint est trop serré, enlever la porte et varloper les surfaces.

### 2. La remplacer

Si les traverses sont décollées, il est possible de renforcer les joints avec des gougeons de bois.

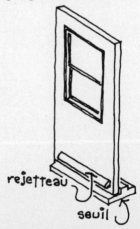

rejetteau

seuil

Si la porte est pourrie, il faut la remplacer. C'est généralement le cas des portes de balcons non protégées par un toit.

Il est important d'acheter une porte fabriquée spécialement pour l'extérieur et dont l'espace intérieur est rempli de bois (porte pleine) et d'une épaisseur minimale de 1³/₄ pouce (45 mm)

Profitez-en, lors de la pose, pour installer un rejetteau au bas de la porte. Il protégera votre seuil et aussi la charpente basse de votre porte.

### 3. Fermer les joints

Si les joints entre la porte et le cadre laissent filtrer trop d'air froid, il faut les fermer en utilisant l'une des méthodes qui suivent:

### a) des coupe-froid

Installer sur le cadre « du côté de la poignée et dans le haut » et sur la porte « du côté des charnières » un coupe-froid en vinyle, en feutre ou en mousse de plastique (foam).

Installer « vissé sur le seuil » un coupe-froid qui s'écrase sur le bas de la porte.

« Types de coupe-froid »:

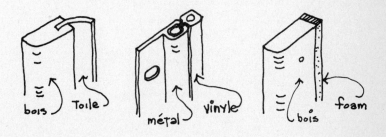

bois — Toile        métal — vinyle        bois — foam

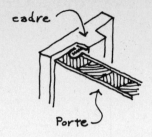

Si votre budget vous le permet, vous aurez intérêt à faire poser des coupe-froid encastrés dans la porte et le cadre.

C'est une solution qui requiert une main-d'œuvre qualifiée et une porte qui a eu le temps de sécher suffisamment bien.

### b) *des baguettes à la porte*

S'il y a déjà des coupe-froid et que la porte laisse quand même passer l'air froid, il peut être nécessaire d'élargir ou d'agrandir la porte avec des baguettes en bois fixées sur la rive de celle-ci.

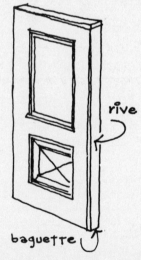

Les baguettes sont découpées selon la forme du joint entre la porte et le cadre.

Cette méthode offre l'avantage de conserver de très jolies portes qui conviennent au style de la maison, tout en réglant un problème de vieillissement.

154

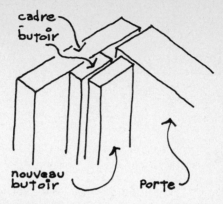

cadre
butoir

nouveau
butoir

Porte

## c) *des baguettes au cadre*

Si la porte est tordue et qu'un coupe-froid ne suffise pas à en fermer l'ouverture, il faut ajouter des baguettes sur le buttoir du cadre de la porte.

Vous pouvez trouver des formats de baguette en bois de pin déjà préparées en vue de ce travail.

## d) *des joints scellés*

Si le froid provient des joints de panneaux qui ont pris du retrait, il faut sceller ces joints avec une pâte en cartouche, lisser immédiatement avec le doigt, puis repeindre.

# Fenêtres de bois en mauvais état

## 1. Les réparer

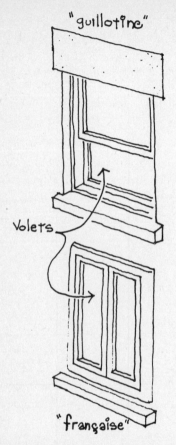

"guillotine"

Volets

"française"

Le mouvement des volets des fenêtres est généralement gêné pour les mêmes raisons que pour les portes, soit: trop de peinture, un mouvement de structure et, dans le cas de la fenêtre à guillotine, des cordes de contrepoids brisées.

Dans ce cas, gratter ou brûler la peinture, sabler les surfaces qui frottent les unes sur les autres et les finir au vernis plutôt qu'à la peinture. Le fini étant plus dur, elles frottent mieux et le vernis écaille moins facilement.

En profiter pour installer des coupe-froid comme sur les portes.

Si quelques volets sont pourris, il vaut mieux essayer de les remplacer par des nouveaux, plutôt que de changer toute la fenêtre car les fenêtres en bois ont une bonne résistance aux variations de température. Il est préférable, si les volets doubles (extérieurs) sont pourris, de les remplacer par une fenêtre double en bois ou en aluminium tout en conservant et réparant les fenêtres simples (intérieurs) en bois.

## 2. Les remplacer

Si les fenêtres simples et doubles sont très détériorées et qu'il faille les remplacer par de nouvelles, vous devez envisager d'investir une bonne somme d'argent.

Les fenêtres sont très importantes dans les pertes de chaleur, beaucoup plus que les murs, et le coût du chauffage s'en ressent.

Une bonne fenêtre en bois, avec un bon système de coupe-froid dans tous les joints des volets, est recommandée mais sera normalement plus coûteuse qu'une bonne fenêtre en aluminium.

Il est important de vérifier la grandeur en fonction du modèle et de la grosseur des morceaux d'aluminium que composent les volets.

Pour les maisons de Montréal, deux modèles semblent vouloir se généraliser: la fenêtre à guillotine et la fenêtre coulissante.

Voici les principales recommandations pour chacun de ces modèles:

La *fenêtre à guillotine en aluminium*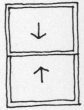

Elle se prête bien à la forme des fenêtres des maisons de Montréal, généralement construites en hauteur.

Dans ce modèle, il y a des limites de hauteur à respecter car, autrement, les volets sans contrepoids deviennent trop lourds, ont tendance à plier par la pression du vent et sont difficiles à enlever pour le nettoyage.

Plus la fenêtre est grande, plus grosses doivent être les sections d'aluminium et plus épais doit être le verre, ce qui vous amène à payer cher pour une bonne fenêtre.

C'est pourquoi, il peut être plus économique et plus efficace de choisir un modèle de fenêtres combinées, fixe et coulissante, si la fenêtre a plus de 3′6″ de largeur.

Les fenêtres sont classifiées selon un code « GP-1, GP-2, GP-3 », etc., le GP-1 étant la meilleure qualité.

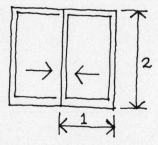

La *fenêtre coulissante* ne se prête pas très bien à la forme verticale des vieilles fenêtres car le rapport entre la largeur et la hauteur d'un volet mobile ne devrait jamais dépasser 1 sur 2.

Dans le cas contraire, les volets basculent et se décrochent des rails au lieu de glisser librement.

C'est pourquoi, il est nécessaire de combiner une partie fixe avec une partie coulissante pour obtenir la hauteur requise et respecter le rapport suggéré de 1 sur 2.

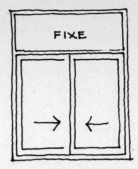

La *partie fixe* contient un verre scellé, ce qui implique que ces fenêtres sont montées dans un nouveau cadre au lieu de l'être dans le cadre existant en bois des vieilles fenêtres.

C'est un facteur qui rend ces fenêtres légèrement plus coûteuses que la fenêtre standard à guillotine fixée directement au vieux cadre de bois.

Dans les deux cas, en plus d'évaluer la grosseur des sections d'aluminium et les proportions des volets, il est très important de vérifier la qualité et surtout l'existence des coupe-froid.

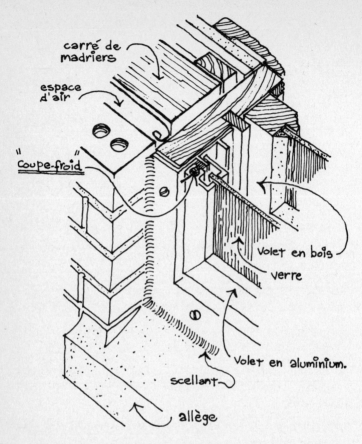

carré de madriers

espace d'air

"Coupe-froid"

Volet en bois

verre

Volet en aluminium.

scellant

allège

Pour observer ces coupe-froid, il faut enlever les volets et regarder tout autour du cadre et du volet.

Normalement, ils sont tout autour des volets, bien que certains fabricants les installent sur le cadre.

Le détail d'accrochage des deux volets, quand ils sont fermés, est aussi important car il doit normalement éviter que les volets plient par la pression du vent.

LES SERVICES

## *Plomberie*

### Les problèmes et leurs causes

En règle générale, un service de plomberie dans un bâtiment de soixante ans et plus présente des signes de faiblesse. Les joints commencent à couler, la pression d'eau diminue, l'eau se teinte de rouille, les renvois se bouchent de plus en plus souvent, etc.

Les principales raisons de ces faiblesses sont les suivantes:

1. L'entrée principale souterraine, entre la rue et le bâtiment, est engorgée de dépôts.

2. Les tuyaux d'alimentation d'eau, pour chacun des logements, sont engorgés de dépôts de rouille.

3. Les renvois des appareils sont engorgés de dépôts et de graisses.

4. Le tuyau d'alimentation de la ville, sous la rue, n'est plus assez gros pour répondre à la nouvelle demande des occupants.

5. Les sièges des robinets sont usés et de nouvelles rondelles *(washer)* ne les empêchent plus de couler.

6. Les trappes d'accès sont rouillées, figées dans la peinture et difficiles à ouvrir pour libérer les siphons des dépôts et des déchets.

7. Le rendement des réservoirs à eau chaude diminue à cause de la différence de pression grandissante qui se crée entre les tuyaux d'eau chaude et d'eau froide.

8. L'émail des appareils en fonte est usé et écaillé, ce qui rend l'entretien difficile.

# Pression d'eau trop faible

Avant d'investir pour remplacer la tuyauterie, il est important de s'informer pour connaître la pression d'eau que la ville fournit sur votre rue.

Sur les anciennes rues, les conduites sont souvent plus petites et la pression plus faible que sur les rues plus récentes.

Si la pression de la ville varie entre 80 et 125 livres (normale), que la pression dans vos appareils soit faible, que votre tuyauterie soit en acier galvanisé et que de la rouille colore votre eau, il est probable que vous aurez à remplacer vos tuyaux d'alimentation.

La rouille qui se forme dans les tuyaux galvanisés réduit la grosseur du tuyau et fait baisser la pression ce qui n'est pas le cas pour les tuyaux de plomb (bon à vie) et les tuyaux de cuivre.

Les anciens tuyaux de plomb n'ont pas toujours besoin d'être remplacés, sauf que les réparations sont plus délicates à effectuer avec ce type de tuyau.

Il y a aussi l'absorption du plomb, qui se mélange à l'eau, qui peut être néfaste sur une longue période (25-30 ans) pour l'organisme.

Aujourd'hui, les tuyaux d'alimentation d'eau à Montréal sont en cuivre.

# Renvois lents à couler

Si vos appareils sont lents à se vider, il peut y avoir trois causes à ce problème:

1. Vos siphons sont obstrués par des déchets.
2. La grosseur de la tuyauterie est réduite par des dépôts de rouille et de graisse.
3. Vos appareils n'ont pas d'évents.

## Solutions possibles

### 1. Vider les siphons

Il faut ouvrir les trappes d'accès sous les siphons et vider, à l'aide d'une broche, les dépôts de graisses et de cheveux accumulés.

siphon
bouchon
de vidange

### 2. Ficher les renvois

Si vous n'envisagez pas de remplacer toute la vieille tuyauterie, vous pouvez faire ficher vos tuyaux de fonte par un plombier.

C'est efficace « à court terme » car, à cause de la rouille et du calcaire, la surface intérieure des tuyaux demeure rugueuse et les saletés s'accrochent progressivement.

### 3. Remplacer les renvois

Dans le cas d'un travail d'entretien, il est possible de remplacer seulement les siphons et les renvois des appareils sans remplacer les gros renvois de fonte.

Il est toujours préférable de faire poser des renvois de cuivre bien que le renvoi de plastique soit acceptable.

# Colonne de chute qui coule

Les gros renvois qui ramassent les eaux usées des logements, sur toute la hauteur du bâtiment jusqu'aux égouts de la ville, sont généralement en fonte dans les murs, et en grès au sous-sol, du moins pour les vieux logements de Montréal.

La partie qui souvent mérite d'être remplacée, à cause de la vermine, c'est la section horizontale en grès.

Quand toute la conduite est en fonte, c'est généralement le coude joignant la partie horizontale à la partie verticale qui coule et se détériore le plus rapidement.

**Solutions possibles**

**1. *Remplacer les sections qui coulent***

Les plus accessibles, particulièrement la section au sous-sol.

**2. *Remplacer toute la chute***

Dans le cas d'une rénovation majeure, où vous obtenez des subventions, il est probable que les colonnes seront à remplacer, particulièrement si vous déplacez les appareils. Autrement, vous devez consulter un plombier qui verra à évaluer si la chute peut être conservée.

Quand la colonne est à remplacer, un conduit séparé recueille les eaux de pluie du toit et l'espace doit pouvoir accueillir deux tuyaux de trois pouces (76 mm).

**3. *Réparer le trou dans le tuyau***

Si ce n'est qu'un trou dans la colonne en fonte, il suffit de le fermer avec un bouchon qui est vissé au tuyau.

**4. *Reprendre le joint***

Dans le cas d'un joint, le plombier peut le refaire avec une soudure au plomb.

# Robinets qui coulent

Fermer l'entrée d'eau et remplacer les rondelles de caoutchouc (*washer*).

Il est possible que, même après avoir remplacé les rondelles de caoutchouc, les robinets continuent à couler.

Généralement, cela se produit lorsque les sièges en acier à l'intérieur des robinets ont été écrasés par des rondelles trop usées.

Dans ce cas, il faut remplacer les robinets.

# Manque d'eau chaude

Il arrive que, même avec un bon réservoir, vous n'ayez plus d'eau chaude après une douche.

Cette situation est causée par un tuyau d'alimentation d'eau chaude engorgé de rouille et des robinets de douche-mélangeur (un robinet qui mélange l'eau chaude et l'eau froide).

La pression d'eau froide étant plus forte que la pression d'eau chaude, l'eau froide par le robinet mélangeur est refoulée dans l'eau chaude jusqu'au réservoir et refroidit l'eau pendant que vous prenez votre douche.

## Solutions possibles

### 1. Remplacer la tuyauterie de l'eau chaude

Il faut envisager cette solution avant de toucher au réservoir.

### 2. Vérifier les fusibles

Il faut d'abord vérifier les deux fusibles de l'interrupteur situé juste à côté du réservoir pour s'assurer qu'ils ne soient pas brûlés. À l'allumage, à cause de la grande demande d'électricité, les éléments peuvent les brûler.

### 3. Remplacer l'élément brûlé

Aussi un des deux éléments de votre réservoir électrique peut être brûlé.

Généralement, c'est l'élément du bas qui brûle à cause des dépôts qui se font et ne sont pas vidangés régulièrement.

Un plombier ou un électricien peut vérifier si vos éléments sont encore bons et les remplacer s'il y a lieu.

### 4. Remplacer le réservoir

Après 15-20 ans, le fini protecteur à l'intérieur du réservoir se fissure, le réservoir en acier rouille et éclate. Il faut le remplacer.

N.B. Il faut vider un réservoir à eau chaude, au moins une fois par année, pour éviter que les dépôts ne fassent surchauffer votre élément et le brûlent.

# L'électricité

## Les problèmes et leurs causes

Des entrées électriques (panneau et fusible) trop petites, des circuits (fils) désuets, une plus grande quantité d'appareils électriques et des fusibles trop forts (no 25, no 30) sont les principales sources d'incendie à Montréal.

Une autre importante source de problèmes avec l'électricité concerne le chauffage des logements.

Les logements en longueur, avec une fournaise à l'huile ou au gaz installée au centre des logements, incite les gens à ajouter, à l'avant et à l'arrière des logements, des appareils de chauffage à l'électricité.

Une telle intervention surcharge les circuits déjà très occupés dans les vieux logements.

On peut résumer la source des problèmes d'électricité comme suit:

1. Une entrée électrique trop faible pour la demande.

2. Un mauvais contact dans un panneau (lumière ou prise).

3. Un manque de circuits dans le panneau de distribution (boîte à fusibles)*.

4. Un fusible trop résistant pour la capacité du fil.

5. Trop d'appareils sur un seul circuit (un seul fusible)*.

(*) Un circuit étant équivalent à un fusible.

# Les fusibles qui brûlent

Le circuit protégé par le fusible est surchargé d'appareils qui demandent plus de courant que le fil ne peut en transporter sans danger.

Plus les fils sont petits, moins ils peuvent transporter de courant.

## Solutions possibles

### 1. Partager votre demande d'électricité

D'abord vérifier ce que chaque fusible protège comme sortie.

Il suffit de brancher des lumières aux prises, d'allumer toutes les lumières des plafonds et de dévisser à tour de rôle chacun des fusibles.

Notez derrière le couvercle de la boîte de fusibles ce que chacun protège comme sortie électrique.

À partir de cette information sur chaque fusible, il est possible de mieux partager votre demande en répartissant vos appareils sur plusieurs circuits (fusibles).

*Note:* Dans les vieilles maisons, où la distribution de l'électricité n'a pas été refaite, les fusibles de calibre 20 devraient être un maximum.

Les vieux fils qui chauffent sont plus dangereux que les neufs à cause de l'isolant du fil qui est séché et moins efficace.

Voici comment connaître la demande de chaque appareil électrique et la comparer à la grosseur du fusible.

Un fusible no 20 peut laisser passer 20 ampères de courant avant de brûler.

Certains appareils vous informent sur le nombre d'ampères qu'ils consomment.

Autrement, vous faites le calcul vous-même, comme suit: vous divisez le nombre de watts de l'appareil par 110 volts;

Exemple: $\dfrac{\text{une lumière de 100 watts}}{\text{110 volts}} = .99$ ampères.

$\dfrac{\text{une plinthe chauffante de 1000 watts}}{\text{110 volts}} = 9$ ampères

Vous réalisez que deux plinthes chauffantes par fusible plus quelques lumières suffisent à combler la capacité d'un circuit: d'autant plus que sur les anciens fils, il peut y avoir des faiblesses dans les joints ou les boîtes des prises de courant.

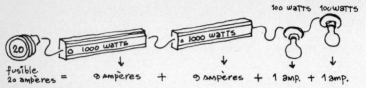

## 2. Nouveaux circuits

Dans bien des cas, vous possédez une boîte de distribution (fusibles) qui n'utilise que quatre fusibles, les autres ne servant pas.

Cette situation vous permettrait normalement, avec l'avis sur place d'un électricien qui évaluerait la capacité totale de l'entrée principale à la maison, d'ajouter de nouveaux circuits (nouveaux fusibles).

Avec ces nouveaux circuits, vous pouvez réussir à libérer ceux déjà existants et brancher vos appareils à fort ampérage sur les nouveaux fils plus sécuritaires.

Cette situation, de circuits disponibles, est généralement fréquente dans les logements où le propriétaire a fait installer une nouvelle entrée pour offrir le 220 et a laissé le nombre de circuits comme ils étaient auparavant sauf pour la cuisine où un circuit séparé pour le comptoir de cuisine est exigé.

## 3. Installer un limiteur de charges

Si vous avez un panneau de fusibles utilisé au maximum, que vous ne pouviez plus installer de circuits supplémentaires et que vous mainteniez l'idée d'utiliser le même nombre d'appareils électriques, il est alors possible d'installer, à proximité du panneau, un appareil qui limite les demandes d'électricité sur un certain nombre de circuits.

*Exemple:*

Vous utilisez votre sécheuse; alors le limiteur de charge vous empêche de faire fonctionner votre poêle électrique.

De la sorte, il est impossible de surcharger l'entrée de l'électricité par une demande excessive car tout ne peut fonctionner en même temps.

On peut dire que c'est la solution ultime avant de remplacer l'entrée de l'électricité.

## 4. Installer une nouvelle entrée

Si tous vos fusibles sont utilisés et que vous ayez le maximum de circuits que la boîte d'entrée puisse vous fournir, que vous ayez un limiteur de charges et que vous souhaitiez installer d'autres appareils sans faire sauter trop de fusibles, alors il vous faut remplacer votre entrée par une plus grosse.

Dans le cadre des programmes de subvention de la Ville de Montréal, remplacer une entrée suppose l'installation d'un minimum de 100 ampères, 24 circuits.

Dans les autres cas, une entrée de 60 ampères avec un plus grand nombre de circuits (jusqu'à 16 circuits) peut suffire dépendant des besoins du logement.

À l'installation vous auriez intérêt, indépendemment des exigences des codes, à fournir des circuits séparés pour des prises de comptoir, pour la cuisinière, pour le chauffe-eau, et de faire ficher quelques circuits pour assurer un minimum de deux prises de courant par pièce.

Cette initiative vous permet de réduire les demandes d'électricité sur les anciens circuits où le filage peut être en mauvais état.

# Des lumières de niveau d'éclairage à intensité variable

Il existe deux causes principales aux baisses subites du niveau d'éclairage de vos lumières:

1. Le circuit sur lequel votre lumière est branchée est déjà chargé et vous imposez une surcharge momentanée.

   C'est le cas d'un moteur qui démarre et demande plus de courant pour se mettre en route que pour rouler normalement.

2. Le circuit est défectueux quelque part sur son parcours à cause d'un mauvais contact d'un fil, d'une prise ou d'un interrupteur.

Cette baisse de courant vous signale donc qu'à très court terme vous risquez de faire sauter un fusible ou de faire chauffer dangereusement un fil.

## Solutions possibles

Dans le premier cas, vous libérez le circuit de la surcharge qu'il subit en branchant sur un autre circuit moins chargé l'appareil qui consomme beaucoup au démarrage.

Dans le second cas, les mauvais contacts font normalement hésiter les interrupteurs à fonctionner ou libèrent un bruit de grésillement. Vous fermez alors le courant de la maison par l'interrupteur principal de la boîte de fusibles et vous réparez ou remplacez l'interrupteur ou la prise défectueuse.

# Le chauffage

## Le chauffage au centre du logement

Le principal problème rencontré au niveau du chauffage provient avant tout d'une inefficacité dans la distribution de la chaleur en raison de la forme des logements et du mode de chauffage adopté.

Le système le plus répandu consiste en une fournaise à l'huile ou au gaz installée au centre du logement et qui génère des mouvements d'air naturels de convection pour que la chaleur se répande dans toutes les pièces.

### Des pièces froides

Au cause de la forme allongée et étroite des grands logements, les pièces vitrées à l'avant ou à l'arrière sont plus difficiles à chauffer.

### Solutions possibles

#### 1. Améliorer l'isolation

Il faut alors mieux isoler les murs et réduire l'infiltration d'air par les joints des portes et des fenêtres (voir la section de l'isolation).

#### 2. Remplacer l'appareil

Dans le cas d'un système au gaz, vous pouvez remplacer votre appareil d'une capacité habituelle de 50,000 BTU par un appareil plus gros, de 65,000 ou de 85,000 BTU avec des ventilateurs mécaniques qui forcent l'air à circuler dans tout le logement.

Ce système a l'avantage de diffuser rapidement la chaleur, mais l'appareil avec ventilateurs est beaucoup plus coûteux que celui qu'on installe normalement (quatre fois plus cher).

### 3. Ajouter des plinthes électriques

Si votre entrée d'électricité contient des circuits inoccupés, vous pouvez faire installer, pour ces pièces froides seulement, de nouveaux circuits pouvant alimenter uniquement des appareils électriques, soit sur le 220 volts, soit sur le 110 volts si l'entrée est trop faible.

Il est déconseillé, pour les raisons énumérées dans la section électricité, de brancher des appareils de chauffage sur les circuits existants à moins de ne les utiliser qu'à cette fin.

# Le chauffage avec radiateurs

## Des pièces froides

Malgré une bonne répartition des radiateurs dans chacune des pièces, il est fréquent, sur les anciens systèmes à eau chaude, que la chaleur de l'eau soit mal répartie à cause de la lenteur de la circulation de l'eau. En effet, les anciens systèmes étaient conçus en fonction d'une circulation d'eau par gravité, l'eau chaude ayant naturellement tendance à monter et l'eau froide à être repoussée vers le bas.

Ce mode de circulation concentre la chaleur dans les pièces les plus rapprochées de la fournaise.

### Solutions possibles

### 1. Remplacer les valves

Il se peut que l'eau ne se rende pas à un radiateur à cause d'une valve en position fermée. Il faut la remplacer et remplacer aussi la saignée d'air car il se peut que de l'air se soit accumulé dans la partie supérieure du radiateur créant ainsi une pression sur l'eau et l'empêchant de circuler aisément.

172

## 2. Vérifier la chaudière

Si la chaudière a plus de cinquante ans, il y a intérêt à la faire vérifier. Si elle n'a jamais été remplacée, vous devez vous attendre à le faire bientôt, et ces travaux entraînent des dépenses importantes.

## 3. Installer une pompe circulatrice

Afin de mieux répartir la chaleur de l'eau dans toutes les pièces, il faut accélérer la circulation de l'eau chaude par une pompe électrique installée à la sortie de la chaudière. De cette manière, les radiateurs des extrémités deviendront aussi chauds que ceux qui sont concentrés près de la source de chaleur.

## 4. Ajouter des radiateurs

Il se peut que certaines pièces n'aient pas suffisamment de surface de radiation. Dans ce cas, il faut ajouter un radiateur.

C'est une opération délicate car, souvent, ce travail implique de vider le système de son eau et de le remplir par la suite en éliminant l'air qui se loge dans les conduites.

## 5. Décaper les radiateurs

Trop de peinture sur les radiateurs diminue leur capacité de radiation. Appliquer une seule couche de peinture mate, car la peinture luisante diminue l'effet de radiation.

## 6. Ne pas remplacer la tuyauterie

Comme c'est presque toujours la même eau qui circule, il n'y a pratiquement pas de détériorations à la tuyauterie.

# Des planchers froids

Avec les vides sanitaires sous les vieilles maisons, les planchers des logements du rez-de-chaussée sont souvent inconfortables.

Le problème est le même pour les planchers au-dessus des portes cochères.

Cet inconfort est avant tout causé par un manque d'isolation bien que, indépendamment de la façon d'isoler, ces planchers demeurent inconfortables.

## Solutions possibles

### 1. Isoler les murs et chauffer

Dans le cas d'un vide sanitaire ou d'un sous-sol inhabité, il est recommandé d'isoler les murs de fondation et les extrémités des planchers (voir section sur l'isolation). Par contre, la différence de température entre le vide sanitaire et les pièces du logement demeurera importante et il peut être nécessaire d'installer des éléments électriques pour réduire cette différence.

Cette solution demande qu'on l'évalue sous tous ses aspects avant de l'appliquer, car un chauffage trop important peut rapidement faire sécher et fissurer la charpente en bois.

De plus, si l'on est sur un terrain argileux et humide, on peut assécher suffisamment le sol pour entraîner l'affaissement des fondations.

### 2. Isoler le plancher

Il est toujours possible d'isoler le plancher du rez-de-chaussée par-dessous ou d'isoler le plancher des portes cochères par-dessus. Dans ce cas, le chauffage est moins nécessaire bien que nous recommandions de chauffer légèrement les sous-sols et les vides sanitaires.

### 3. Poser du tapis

174

# TROISIEME
# PARTIE

# Guide d'évaluation de la qualité d'un ancien bâtiment

## Introduction

Lorsqu'on évalue la qualité d'un bâtiment, il faut d'abord en regarder les parties les plus vitales, ses éléments de structure. Ce sont: la fondation et la charpente qui déterminent la valeur et la solidité même du bâtiment et qui doivent être réparées avant toute autre intervention sur le bâtiment. Dans certains cas, les travaux à effectuer sur la structure sont coûteux et peuvent influencer la décision à prendre concernant l'achat du bâtiment.

Deuxièmement, on regarde l'état de l'enveloppe (finition extérieure) pour évaluer comment la charpente du bâtiment et les occupants seront protégés des intempéries. Il faut s'assurer que la maçonnerie soit en bon état car c'est un élément assez coûteux à remplacer et une mauvaise maçonnerie peut entraîner la détérioration de la charpente.

Troisièmement, on vérifie la qualité du fini intérieur (plâtre des murs et plafonds, bois du plancher). Un fini en très mauvais état peut nécessiter un dégarnissage complet des murs et des plafonds, donc un coût de rénovation élevé pour chaque logement.

Quatrièmement, on évalue le rendement des services (plomberie, électricité, chauffage) pour voir s'ils peuvent durer encore longtemps.

Cinquièmement, on évalue l'aménagement intérieur du logement et les possibilités de rangements (garde-robes, armoires de cuisine). Si on ne refait pas tous les finis du logement, le déplacement des murs peut devenir une entreprise coûteuse. Il faut tenir compte du fait qu'on ne peut déplacer un mur porteur.

Sixièmement, on regarde l'état des galeries, des balcons et des hangars, on se rend compte s'ils ont été entretenus. Il faudra évaluer la nécessité de conserver ou non le hangar quoique, bien souvent, la Ville de Montréal en exige la démolition.

Voici les questions les plus pertinentes à se poser sur chacune des parties du bâtiment:

# 1. La structure

## A. La charpente

1. De l'extérieur, remarquez-vous de grosses fissures dans les murs de maçonnerie?

2. La maison semble-t-elle s'être beaucoup déformée avec les années, soit par un enfoncement sur un des côtés, soit par des linteaux de fenêtre inclinés?

3. De l'intérieur, les planchers sont-ils inclinés vers la cloison centrale du corridor?
(faire l'observation dans chacun des logements).

4. Les cadres des portes sont-ils déformés?

5. Les plinthes sont-elles beaucoup détachées des surfaces de plancher? (Il faut chercher à comprendre les raisons de ces affaissements par la cave.)

6. À la cave ou dans l'espace d'accès, la poutre centrale est-elle bien arrondie entre les colonnes?

7. Les assises des colonnes qui supportent cette poutre centrale sont-elles en béton?

8. A-t-on ajouté des colonnes supplémentaires pour corriger une faiblesse?

9. Les solives du plancher que vous pouvez bien observer par le sous-sol, sont-elles bien appuyées sur la grande poutre centrale?

10. L'extrémité de ces solives, qui repose sur le mur de fondation, est-elle humide?
(Vous pouvez la gratter avec vos ongles?)
Si oui, c'est un signe de pourrissement à cause d'un manque de ventilation du sous-sol ou d'une absorption trop forte d'eau par le mur de béton.

11. La cloison porteuse du corridor (un des deux murs) est-elle bien alignée sur la poutre centrale du sous-sol? Il devrait en être de même des cloisons porteuses des autres étages bien qu'à cette époque un décalage d'environ 1'6" (457 mm) fut chose courante et fort acceptable.

## Résumé

Un bâtiment dont la structure est demeurée stable n'a pas laissé de traces de fissures majeures dans les finis intérieur et extérieur ainsi que dans le fini de la menuiserie.

La nature du sol de la rue ainsi que le manque de soins dans la construction des assises de béton ont pu être la cause principale de mouvements structuraux aujourd'hui souvent stabilisés par la maison voisine ou par des travaux correctifs.

## B. Les fondations

1. Observe-t-on des fissures majeures dans les murs de fondation?

2. Les murs de béton ou de pierre sont-ils assis sur une semelle en béton ou reposent-ils directement sur le sol?

3. Quelle est la nature du sol? Sable, glaise ou roc?

4. Y-a-t-il des indices qui vous fassent soupçonner des infiltrations majeures d'eau?

5. Les murs sont-ils très humides à cause d'une absorption trop forte des surfaces extérieures exposées?

6. Les assises des murs ont-elles été déplacées par la gelée (cause fréquente des fissures)?

# 2. L'enveloppe

## A. La maçonnerie

1. Pouvez-vous porter un jugement favorable sur la qualité de la brique, compte tenu qu'une peinture est à déconseiller?

2. Les joints de mortier sous les allèges des fenêtres sont-ils très dégradés? C'est un endroit délicat et vous pouvez évaluer de cette façon si le bâtiment a reçu l'entretien requis.

3. Les linteaux et les allèges des fenêtres sont-ils très effrités par l'eau et le gel?

4. Percevez-vous des gonflements majeurs et nombreux dans les surfaces comme si la brique voulait se détacher de la charpente en bois? C'est souvent le cas des murs très exposés aux vents et à la neige et leur remise en état représente des sommes importantes.

5. La corniche de brique et de bois, sur la façade principale, est-elle très ou raisonnablement inclinée vers l'arrière? (Il est normal qu'elle le soit un peu à cause des différences de température entre le mur chaud et la corniche froide.)

## B. La membrane du toit

1. La membrane a-t-elle été remplacée récemment? (Vous pouvez généralement le savoir en questionnant les locataires.)

2. Reste-t-il beaucoup de gravier sur la membrane? S'il y en a peu, c'est un indice d'usure.

3. Les solins métalliques tout autour de la toiture (tôle qui recouvre les murs extérieurs du bâtiment) sont-ils très rouillés, voire perforés?

4. Le toit est-il bien ventilé par des cols-de-cygne? (Généralement un à chacune des extrémités, soit environ quatre par toitures.)

## C. Les portes et fenêtres

1. Les portes et fenêtres sont-elles faciles à manœuvrer?

2. Sentez-vous beaucoup de jeu et, par le fait même, beaucoup d'infiltrations?

3. Le bois des volets et des cadres est-il pourri? (L'observation se confirme par des joints lâches.) Si vous pouvez rentrer votre ongle dans le bois, même à travers une peinture neuve, c'est que le bois est très pourri.

4. Jugez-vous possible de conserver les portes et les volets intérieurs en bois de manière à économiser et à récupérer un item encore plus efficace et résistant que ce que vous pourriez vous installer de neuf?

# 3. Les finis intérieurs

## A. Les enduits de plâtre

1. Le plâtre est-il détaché à plusieurs endroits de la charpente des murs? Appuyez sur les gonflements les plus apparents pour vérifier s'ils s'enfoncent. Les surfaces qui bougent demandent, d'une manière générale, à être démolies et refaites.

2. Décelez-vous les mêmes problèmes pour les plafonds? Vous remarquerez que le plafond du dernier étage est toujours plus affecté que les autres à cause, soit d'une membrane qui a coulé, soit de la structure trop faible du toit qui a ployé sous le poids de la neige et qui a fait fissurer les enduits.

3. L'enduit de plâtre sous les fenêtres est-il très affecté? C'est un endroit souvent humide à la suite de la condensation sur les fenêtres.

4. Remarquez-vous plusieurs fissures dans les angles des murs et au-dessus des cadres de porte? Une défectuosité structurale affecte beaucoup ces endroits sauf autour des cheminées où les fissures sont causées par les variations de température.

## B. Les finis de plancher

1. Comment sont finis les planchers des pièces de séjour?

2. Quel est l'état des planchers de la cuisine et de la salle de bains? Un linoléum posé sur un plancher de bois mou suppose parfois que la surface est à refaire avec un fond de contre-plaqué.

3. Les quarts-de-rond sont-ils tous en place?

4. Quel est l'état général des plinthes et des boiseries?

# 4. Les services

## A. L'alimentation d'eau

1. Avez-vous une bonne pression d'eau chaude et froide à tous les étages? (Si non, la tuyauterie sera bientôt à refaire.) Y-a-t-il des traces de rouille dans l'eau?

2. Comment l'eau est-elle chauffée?

3. Les appareils sont-ils en bon état? (Observez s'ils sont fissurés ou trop écaillés.)

4. Les renvois semblent-ils absorber rapidement l'eau des robinets?

5. La robinetterie a-t-elle été remplacée? (Si non, vérifiez si des fuites sont apparentes.)

6. Existe-t-il une alimentation et un renvoi pour une lessiveuse?

## B. L'alimentation en électricité

1. Les entrées sont-elles suffisantes pour les besoins du logement (60 ou 100 ampères, lire sur la boîte à fusibles.)

2. Le circuit de 220 volts pour la cuisinière électrique est-il installé?

3. Existe-t-il, au minimum, une prise électrique par pièce, en plus d'une prise spécialement pour le comptoir de cuisine?

4. Ces prises et les lumières de plafonds sont-elles branchées uniquement sur trois ou quatre fusibles? De nouveaux circuits (de nouveaux fusibles) ont-ils été installés lors du changement de l'entrée électrique (panneau électrique)?

5. A-t-on installé une prise de 220 volts pour une sécheuse?

## C. Le chauffage

1. Le rez-de-chaussée possède-t-il un système central de chauffage? S'il y a une chaudière à eau chaude (fournaise) il est fort probable que vous ayez à la remplacer, particulièrement si la maison a plus de cinquante ans.

2. Quels sont les autres systèmes en vigueur dans les autres logements? Un chauffage électrique suppose une bonne qualité de fenêtres et une maison mitoyenne orientée est-ouest sinon on est obligé d'isoler les murs. Pour le toit, il est toujours avantageux de prévoir l'isoler.

3. La maison est-elle sur un coin de rue, exposée sur trois faces et orientée nord-sud? Si oui, vous avez, d'une façon générale, la plus mauvaise situation pour chauffer économiquement.

4. Y-a-t-il une entrée pour le gaz dans le bâtiment? Si vous comptez l'utiliser, il vous faut prévoir l'installation de compteurs et la vérification, par le plombier, de tous les conduits à remettre en usage.

# 5. Les équipements et la qualité des pièces

1. Y a-t-il plusieurs espaces de rangement?

2. Les surfaces de travail dans les cuisines sont-elles suffisantes?

3. Les portes d'armoires sont-elles nombreuses et ferment-elles bien?

4. Les pièces sont-elles bien ventilées et éclairées?

5. La forme et les surfaces des pièces sont-elles logeables et faciles à meubler?

6. L'originalité des logements a-t-elle été respectée au cours des années ou si des changements malheureux ont dévalué le bâtiment?

## 6. Les galeries et balcons

1. Sont-ils à refaire?

2. Avez-vous l'impression qu'ils se sont affaissés? Dans ce cas, la charpente pourrait être à remplacer, représentant ainsi des déboursés importants.

3. Les mains-courantes sont-elles solides ou pourries? (Vous pouvez mieux les juger aux attaches.)

4. Les galeries et balcons sont-ils simples ou vous apparaissent-ils compliqués dans leur construction et, éventuellement, dans leur remplacement?

5. Les dépendances annexées à ces galeries sont-elles nombreuses et en bon état? (À noter que si vous demandez des subventions à la Ville de Montréal pour rénover votre bâtiment, vous serez tenu de démolir ces dépendances; ces travaux représentent une somme minimale de mille dollars.)

6. Les accès en cas d'incendie sont-ils faciles, libres de tout obstacle majeur?

7. Les galeries et balcons sont-ils protégés des intempéries, particulièrement au dernier étage?

Des conclusions généralement positives sur l'ensemble de ces item et un environnement souhaitable pour des familles devraient vous permettre de porter un jugement en vue de l'achat d'un bâtiment résidentiel.

Les réponses défavorables méritent d'être accompagnées d'une évaluation approximative du coût des rénovations impliquées. Ce sont ces sommes qui sauront vous indiquer la pertinence de votre investissement et finalement le coût de vos loyers.

# Index

Achevé d'imprimer
en avril mil neuf cent quatre-vingt-deux
sur les presses de l'Imprimerie Gagné Ltée
Louiseville - Montréal.
Imprimé au Canada